Melissa Shales

PARIS

KÖNEMANN

*** Fortement conseillé
** Conseillé
* À voir éventuellement

Première publication en 1996
par New Holland (Publishers) Ltd.

Titre original :
Globetrotter Travel Guide *Paris*

Traduction de l'anglais : Jacques Bosser
Révision de texte : Cécile Carrion
Recherche : Jacques Bosser
Responsable de collection : Kristina Meier
Responsable de projet : Aggi Becker
Assistante d'édition : Sybille Kornitschky
Réalisation : Libris / Imagis, Seyssinet-Pariset
Cartes : Jean-Philippe Repiquet
Design de couverture : Peter Feierabend
Chef de fabrication : Detlev Schaper
Impression et reliure :
Sing Cheong Printing Co. Ltd.
Imprimé en Chine (Hong Kong)
ISBN 3-8290-0739-6

10 9 8 7 6 5 4 3 2 1

L'éditeur ne saura être tenu responsable des erreurs ou omissions involontaires qui auraient pu subsister dans ce guide. Toutes les informations ont été rassemblées et vérifiées avec le plus grand soin. Elles ont été estimées exactes à la date de réalisation, mais ne sont pas à l'abri de changements ultérieurs. Nous remercions nos lecteurs de toutes leurs bonnes adresses, corrections, suggestions et découvertes personnelles adressées à :
Könemann Verlagsgesellschaft mbH,
Bonner Straße 126, D-50968 Cologne

Crédits photographiques :
David Alexander, page 24 ; **Jacqui Cordingley**, pages 23, 56 (en haut) ; **Peter Feeny**, pages 6, 18, 95; **Brian Harding**, pages 10, 107, 112 ; **Glenn Harper**, pages 22, 96 ; **Roger Howard**, pages 19, 59, 62, 66, 105 ; **Hudson/ Shales**, pages 7, 8, 40, 42, 44, 45, 46, 48, 49, 52, 56 (en bas), 57, 58, 71, 88 (en haut), 99 ; **Caroline Jones**, page 4 ; **Gordon Lethbridge**, page 79 ; **David Lund**, pages 63, 82 ; **Norman Rout**, pages 11, 35, 109, 111 ; **Melissa Shales**, pages 12, 15, 16, 17, 20, 21, 30, 32, 34 (en bas et en haut), 37, 38, 43, 51, 65, 72, 74, 75, 80, 81, 83, 84, 87, 88 (en bas), 89, 90, 91, 93, 98, 102 ; **Stuart Spicer**, pages 9, 25, 33, 68; **Jeroem Snijders**, pages 26, 28, 29, 100 (en bas et en haut), 101 ; **Chris Warren**, pages 27, 55, 60, 67, 73, 76.

Remerciements :
L'auteur remercie les personnes suivantes pour leur précieuse collaboration à la réalisation de ce guide : Penelope Shales, pour sa grande connaissance de la France et Paris et le prêt de maints ouvrages et photos, Dennis Hudson et Dominic Shales, pour la mise à disposition de photos, ainsi que Kirker European Travel, British Midland, l'hôtel Saint-Augustin et Disneyland Paris.

SOMMAIRE

1
Paris se présente

Cité de têtes couronnées, voire coupées, riche de chefs-d'œuvre architecturaux – de la somptuosité de Notre-Dame à la magnificence de Versailles ou au feu d'artifice avant-gardiste du Centre Pompidou – Paris est une ville indéniablement superbe. Drames, mélodrames, tragédies et comédies, tout s'est joué ici, sur cette scène. La ville a décidé du sort de rois et d'empires, et a nourri quelques-uns des plus grands écrivains, philosophes, et musiciens de cette planète.

Chaque époque a laissé en héritage de splendides monuments. Les souverains, de Charles V à Napoléon III – et à François Mitterrand – ont compris que leur place dans l'histoire se jugerait à leurs réalisations durables, et Paris, plus que n'importe quelle autre ville européenne, entretient depuis des siècles une passion pour la beauté et l'architecture nouvelle. Et pourtant la magie de la capitale ne vient pas seulement de ces créations magnifiques, mais aussi de ses boulevards bordés d'immeubles sobres, de ses ruelles, de ses petites places et de ses avenues aux arbres taillés.

C'est une ville à savourer lentement. Chaussez-vous confortablement, choisissez un quartier, et partez en promenade.

Donnez-vous le temps de bavarder avec une marchande de fleurs, asseyez-vous à la terrasse d'un café, admirez le cadre sculpté d'un portail, un mime se prenant pour une statue…

Il est presque impossible de se perdre. Si vos pieds n'en peuvent plus, vous n'êtes de toute façon jamais bien

À voir

*** **Arc de Triomphe :** un monument à la gloire de l'Empire.
*** **Tour Eiffel :** la plus célèbre antenne de radio du monde.
*** **Le Louvre :** un palais et un musée extraordinaires.
*** **Notre-Dame de Paris :** le gothique dans toute sa magnificence.
*** **La Sainte-Chapelle :** le reliquaire de verre de saint Louis.
*** **Musée d'Orsay :** le temple de l'impressionnisme.
*** **Montmartre :** artistes, cafés et cancan.

Ci-contre : *la tour Eiffel, vue du palais de Chaillot.*

Notre-Dame domine l'île de la Cité entre deux bras de la Seine. La première pierre de la cathédrale a été posée en 1163 par le pape Alexandre III.

loin du métro. Et si vous n'avez pas vu tout ce qu'il faut absolument voir, réservez-vous pour la prochaine visite.

LA MÉTROPOLE

C'est la main de l'homme, et non la nature, qui a conféré à Paris son charme exceptionnel, et pourtant sa région, un bassin parcouru de nombreuses rivières, est agréable à vivre et sa lumière a inspiré des générations d'artistes. Des Celtes s'installèrent ici pour des raisons logistiques. Le fleuve leur assurait à la fois l'approvisionnement en eau et en poisson, et un moyen de transport.

L'endroit était un carrefour naturel, et les îles pouvaient facilement se défendre au milieu de ce paysage assez plat.

La capitale est délimitée par son terrifiant boulevard périphérique, et ne couvre guère que 105 km² pour une population de 2 250 000 habitants. Elle s'étend au cœur de la région Île-de-France, jadis domaine personnel des Capétiens.

Cette région d'environ 1 200 km² compte huit départements (Paris, Seine-et-Marne, Essonne, Hauts-de-Seine, Seine-Saint-Denis, Val-de-Marne et Val-d'Oise), dont une bonne partie constitue la banlieue de la capitale, qui lui est reliée par des autoroutes, des trains et des métros express.

Avec plus de 10 millions d'habitants (près d'un cinquième de la population française) c'est la région la plus peuplée du pays.

La Seine

La Seine, qui s'écoule avec langueur mais non sans réveils dangereux, sur 12 km de boucles au cœur de la ville définit la géographie, l'urbanisme et jusqu'à l'esprit de celle-ci. Ses quais font aujourd'hui partie du patrimoine mondial de l'Unesco.

Elle prend sa source au plateau de Langres, au nord-ouest de Dijon, et s'écoule doucement jusqu'au Havre après 774 km de méandres qu'explique une faible déclivité (470 m seulement).

Paris demeure le quatrième port français (après Marseille, Le Havre et Dunkerque) et le fleuve est animé en permanence par le trafic de trains de péniches en pleine cité, et des colonies de navires habités se sont amarrés à demeure le long des quais. La parade sans fin des bateaux-mouches, de jour comme de nuit, complète ce spectacle nautique. Les docks ont été repoussés à Genevilliers et Charenton.

Sur des kilomètres, le fleuve est bordé de quais à deux niveaux, dont le plus ancien, celui des Grands-Augustins a été édifié par Philippe le Bel en 1313. Plantés en partie supérieure de vieux platanes noueux et au bord de l'eau de peupliers élancés, ces quais sont un merveilleux lieu de promenade et de pique-nique, bien qu'une partie de la rive droite ait été conquise par une sorte d'autoroute, la voie sur berges. La ville compte 36 ponts, dont le plus ancien est le Pont-Neuf, inauguré en 1607 (*voir* p. 35) et emballé par Christo en 1985. Le plus flamboyant, le pont Alexandre-III, aux piliers surmontés de statues dorées, a été construit pour l'Exposition universelle de 1900 (*voir* p. 72).

Le zouave

Le premier pont de l'Alma fut construit en 1856, et son nom célèbre une victoire de Napoléon III en Crimée. Sa pierre ayant mal résisté au temps, il fut remplacé en 1972 par une portée en acier. Seule une pile de l'ancien ouvrage subsiste, ornée d'une statue de zouave de l'armée impériale. Depuis toujours, elle sert à mesurer la hauteur des crues de la Seine, qui ont atteint son menton en janvier 1910. À voir d'un bateau-mouche.

Le zouave du pont de l'Alma, sentinelle des crues du fleuve.

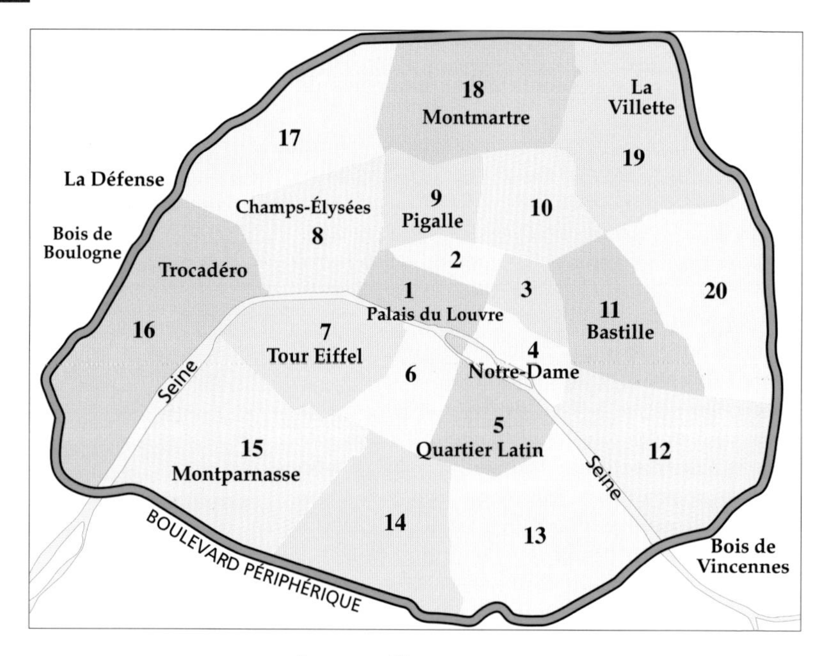

Les arrondissements

Romantique à souhait : quelques rares marchandes de fleurs exercent encore au coin des rues.

Le Paris du XIXe siècle était une ville sans guère de loi ni d'ordre, toujours prête à se rebeller. Il était difficile de conserver le contrôle de ces ruelles à la barricade facile, et encore plus de faire manœuvrer des troupes. Napoléon III, conscient de la fragilité de son pouvoir, était bien décidé à imposer sa discipline, ce qui, à ses yeux, passait par l'urbanisme.

Entre 1852 et 1870, son préfet de la Seine, le baron Haussmann, remodela la capitale, en rasant littéralement des quartiers entiers, envoyant plus de 20 000 Parisiens pauvres vivre dans des banlieues sordides. Rien que sur l'île de la Cité, 25 000 personnes furent déplacées, et des milliers d'immeubles, dont certains remarquables, furent abattus. Les rues principales furent élargies et redressées, des parcs créés et un système d'égouts adéquat creusé, tandis que s'élevaient l'Opéra et de nombreuses gares. C'est de cette vision haussmanienne qu'est né un Paris moderne, ville élégante et bourgeoise, sillonnée de larges

Vue des jardins du Trocadéro et du palais de Chaillot, prise de la tour Eiffel.

boulevards bordés d'arbres, ponctués de places ouvertes, offrant des perspectives spectaculaires sur la plupart des grands monuments.

Les remparts de la ville furent rasés et leur emplacement utilisé pour créer une première voie circulaire. La totalité de l'espace inclus à l'intérieur de ce premier périphérique fut incorporé à la ville de Paris, et les quartiers regroupés en arrondissements, division administrative toujours en vigueur.

La numérotation débute par le cœur de la ville, le Louvre, Ier arrondissement, et décrit une spirale dans le sens des aiguilles d'une montre jusqu'au XXe. Ce système permet également de se repérer facilement. Toutes les plaques de rues et les plans signalent le numéro de l'arrondissement.

LA BANLIEUE

La banlieue mélange un peu tous les styles et les projets d'urbanisme semblent se télescoper, quand ils existent : des pavillons des années 1930 côtoient fréquemment des barres de logements sans âme. Le quartier d'affaires de la Défense est ultramoderne, Neuilly élégant, Saint-Denis s'étend autour d'une superbe basilique. En général, les villes de banlieue les plus élégantes se trouvent à l'ouest, les zones les plus pauvres au nord et à l'est, bien que l'implantation de villes nouvelles et de Disneyland dans la vallée de la Marne commencent à rééquilibrer l'ensemble parisien.

Les plaques des rues affichent généralement le numéro de l'arrondissement.

Arrondissement par arrondissement

Ier Le Paris royal avec le Louvre, une partie de l'île de la Cité, le forum des Halles, le luxe de la rue Saint-Honoré et de la place Vendôme, le calme du jardin des Tuileries.

IIe Le Paris financier, avec la Bourse et la Bibliothèque nationale (Richelieu). Mais aussi le Paris de la confection autour du Sentier.

IIIe Presque encore un village, avec ses rues étroites et ses hôtels particuliers de la partie « aristocratique » du Marais, qui développe ses aspects populaires de l'autre côté de la rue des Francs-Bourgeois.

IVe Un des plus beaux de Paris : île de la Cité, île Saint-Louis, une grande partie du Marais, l'Hôtel de Ville et la place des Vosges, la tour Saint-Jacques et le Centre Pompidou.

Ve Très animé, le quartier Latin abrite la Sorbonne, les thermes et l'hôtel de Cluny, le Panthéon et les arènes de Lutèce. C'est aussi la tranquillité des allées du jardin des Plantes.

VIe Le boulevard Saint-Germain aux boutiques élégantes et aux bons restaurants autour de Saint-Germain-des-Prés, haut lieu de l'édition française.

VIIe Les ministères, l'Assemblée nationale, l'École militaire, l'Unesco, les Invalides : le quartier du pouvoir, repéré par le plus célèbre monument de France : la tour Eiffel.

VIIIe Riche et prestigieux, haute couture avenue Montaigne et rue Saint-Honoré, traversé par « la plus belle avenue du monde » : les Champs-Élysées.

IXe La plus forte concentration d'hôtels, de grands magasins de la capitale, des grands boulevards à Pigalle.

Xe Voies ferrées (gare du Nord et gare de l'Est) et voie d'eau (canal Saint-Martin), c'est un quartier populaire, entre Barbès et Belleville.

XIe Le quartier de la Bastille, devenu en quelques années

PARIS VU DU CIEL

Les meilleures vues :
Tour Montparnasse, page 93
Tour Eiffel, page 77
Grande Arche de la Défense, page 98
Basilique du Sacré-Cœur, page 53
Tours de Notre-Dame, page 33
Arc de Triomphe, page 72
Terrasse de la Samaritaine, page 39
Terrasse du Centre Pompidou, page 42

jeune et « branché » autour du nouvel Opéra.

XIIe En bordure du bois de Vincennes, ses lacs, ses pelouses, son zoo.

XIIIe Partiellement transformé en quartier chinois et vietnamien : beaucoup de restaurants bon marché.

XIVe Aéré et vert (parc de Montsouris). Cimetière Montparnasse et catacombes.

XVe Montparnasse continue à battre des records : vie nocturne animée, plus haute tour de bureaux de Paris, plus longue rue (Vaugirard, 4,4 km).

XVIe Très chic, très snob… Quartier résidentiel autour du palais de Chaillot.

XVIIe Résidentiel. Palais des Congrès.

XVIIIe Montmartre, paradis des touristes, avec ses petits bistrots, ses artistes place du Tertre, le Sacré-Cœur et son superbe panorama.

XIXe Parc de la Villette : temple musico-technique avec la Cité des sciences et de l'industrie et la Cité de la musique.

XXe Charme populaire et ethnique autour du cimetière du Père-Lachaise.

Les Français

« Le caractère des Français est un vrai caractère sans lequel ils n'existeraient pas. Leurs pensées profondes s'expriment par des bons mots. C'est la seule nation dans laquelle un gouvernement peut être sifflé comme dans une mauvaise pièce de théâtre, et où sa chute soulève moins de consternation qu'une violation des règles de la mode vestimentaire. »

J.-C. et A. Hare, *Guesses at Trust*, 1847.

Montmartre n'a guère changé depuis que les artistes ont annexé ce quartier au XIXe siècle.

CROISSANCE D'UNE VILLE

1190-1213 Le roi Philippe Auguste édifie des murailles et la forteresse du Louvre.
1364-1383 Charles V construit de nouveaux remparts et la forteresse de la Bastille.
1546-1559 Construction des premiers quais, et débuts de l'éclairage public.
1605 Développement du quartier du Marais.
1627 L'île Saint-Louis devient un quartier résidentiel.
1760 Création de la place de la Concorde, du Panthéon et de l'École militaire.
1837 Première ligne de chemin de fer française, entre Paris et Saint-Germain-en-Laye.
1852-1870 Le baron Haussmann modernise radicalement la ville (*voir* p. 8)
1900 Ouverture de la première ligne de métro.
1969 Transfert du marché des Halles à Rungis, réaménagement du quartier.
1973 Achèvement du boulevard périphérique et de la tour Montparnasse.

APERÇU HISTORIQUE

L'histoire de Paris est marquée par la famine et les épidémies qui frappent les classes pauvres, la consommation somptuaire des riches, des guerres sanglantes, des sièges, des émeutes et des révolutions.

La cité a été prise ou assiégée par les Romains, les Alémans, les Francs, les Huns, les Vikings, les Anglais et, à trois reprises, les Allemands.

Les périodes intermédiaires sont pleines de violence, généralement aux dépens d'une monarchie autocrate détachée des réalités. Les bouleversements politiques qui ont touché toute la France ont commencé dans les mouvements de la foule parisienne qui a lancé la révolu-

L'histoire de Paris se confond en grande partie avec celle de la France. Les hauts faits de Napoléon sont honorés dans toute la ville. Son tombeau, aux Invalides, est très impressionnant.

tion de 1789, et beaucoup d'autres. Dès 1270 et 1277, les Parisiens entament leurs premières grèves générales, qui contraignent le roi Louis IX à créer le premier conseil municipal, géré par les corporations. En 1358, ils envahissent le palais et forcent le dauphin à promettre un certain degré de parlementarisme, idée vite abandonnée. Le XIXe siècle voit passer les révolutions de 1830, 1848 et 1870, et le XXe connaît la « révolte des étudiants » de mai 1968, qui se répand dans toute la société, y compris à l'étranger.

Grandes dates

vers 300 av. J.-C. La tribu celte des Parisii s'installe sur les îles.
52 av. J.-C. Les troupes de César battent les Gaulois, qui détruisent la ville. Au Ier siècle, les Romains reconstruisent une petite cité prospère, Lutetia.
256-280 Premières invasions barbares. La ville presque détruite par les Francs et les Alémans.
vers 262 Martyre de saint Denis, premier évêque.
360 Lutetia prend le nom de Paris.
451 Sainte Geneviève participe à la défense de la ville face à Attila et ses Huns, et est désignée patronne de la ville à sa mort en 512 (*voir* p. 91).
508 Le roi franc Clovis bat les Romains. Paris devient la capitale de l'empire chrétien mérovingien.
VIIIe-IXe siècle Éclipse de Paris, quand Charlemagne transfère sa capitale à Aix-la-Chapelle. L'empire est attaqué par les Vikings en 845, 846 et 861.
885 Eudes, comte de Paris, repousse les Normands et ses héritiers prennent la tête de la noblesse locale.
987 Hugues Capet devient roi de France, fondant la dynastie capétienne.
1183 Pierre Abélard et ses compagnons fondent l'Université de Paris.
1167 Ouverture du marché des Halles.
1215 L'Université de Paris est officiellement reconnue.
1257 Fondation de l'université de la Sorbonne.
1302 Première réunion des états généraux, version française d'un parlement, constitués de représentants de la noblesse, du clergé et du tiers état.
vers 1310 Établissement du parlement de Paris, cour judiciaire.
1339 Débuts de la guerre de Cent-Ans, contre les Anglais.
1348 Une épidémie de peste tue plus du tiers de la population.

Premières parisiennes

1534 Saint Ignace de Loyola fonde la Société de Jésus (les Jésuites) à Montmartre.
1783 Première ascension en ballon à air chaud par Pilâtre de Rozier et le marquis d'Arlandes.
1829 Daguerre et Niépce inventent la photographie.
1881 Louis Pasteur met au point le premier vaccin contre la rage.
1895 Auguste et Louis Lumière inventent la première caméra cinématographique et présentent le premier film. Ils inventent par la suite la photo en couleurs.
1898 Pierre et Marie Curie découvrent le radium.
1983 Luc Montagnier isole le virus du sida.

1356 Le roi Jean II est capturé par les Anglais. La France sombre dans l'anarchie.
1358 Le prévôt des marchands, Étienne Marcel, envahit le Palais royal à la tête de la foule, forçant le dauphin, futur Charles V, à promettre une forme de démocratie parlementaire. Marcel sera assassiné, et les droits acquis annulés.
1420 Le roi anglais Henry V occupe Paris et réclame le trône de France.
1429 Jeanne d'Arc assiège Paris, sans succès.
1436 Charles VII reprend le contrôle de Paris, tombé dans l'anarchie et en faillite.
1528 François Ier s'installe au Louvre qui devient palais royal.
1562-1598 Guerre de religion entre les catholiques et les Huguenots. La France est coupée en deux. Catherine de Médicis promet un accord, réunit les chefs protestants à Paris et les fait massacrer, ainsi que 10 000 de leurs hommes. La guerre s'achève lorsque Henri de Navarre assiège Paris, se convertit au catholicisme, monte sur le trône et signe l'édit de Nantes, qui garantit la liberté de culte.
1610-1642 Règne de Louis XIII, assisté du cardinal de Richelieu, âge d'or pour la bourgeoisie et l'administration de la capitale.
1643-1715 Règne de Louis XIV, le Roi-Soleil mégalomane, qui ruine pratiquement le pays par son style de vie, centralise la totalité du pouvoir, développe les forces de police, augmente les impôts. En même temps, son règne est un triomphe culturel : architecture, musique, peinture, littérature.
1648-1660 Plusieurs petites révoltes contre le pouvoir royal, dont la Fronde.
1682 La cour – 10 000 personnes – s'installe à Versailles.
1685 Le roi révoque l'édit de Nantes.
1789 Débuts de la Révolution (*voir* p. 15).
2 décembre 1804 Napoléon se couronne empereur à Notre-Dame.
1814 Napoléon exilé à l'île d'Elbe. Louis XVIII monte sur le trône.
1815 Napoléon reprend le pouvoir, mais est battu à Waterloo et exilé à Sainte-Hélène, où il meurt en 1821.
1830 Les Trois Glorieuses. Charles X est renversé et remplacé par son cousin, Louis-Philippe.
1832 19 000 Parisiens meurent lors d'une épidémie de choléra.
1848 La révolution populaire débouche sur la Seconde République que préside le neveu de Napoléon, Louis-Napoléon.
1851 Louis-Napoléon se proclame empereur sous le nom de Napoléon III.
1852-1870 Haussmann reconstruit virtuellement Paris (*voir* p. 8).
1870-1871 Guerre franco-prussienne. Napoléon III est fait prisonnier. L'assemblée se réunit à Versailles. Paris est assiégé par les Prussiens. Les Parisiens forment un Comité de défense nationale, résistent, mais l'assemblée de Versailles se rend et les Allemands entrent dans la capitale. Le Comité se transforme en « Commune », écrasée après six semaines de combat qui font 20 000 morts. 25 000 personnes sont jetées en prison. De nombreux monuments sont incendiés. Paris perd toute autonomie administrative pour un siècle.

CALENDRIER DE LA RÉVOLUTION

1784 Les fermiers généraux persuadent Louis XVI de construire un nouveau rempart autour de la capitale en crise, pour mieux percevoir leurs taxes.
1789 Louis XVI appelle à la réunion des états généraux pour la première fois depuis 1614.
5 mai Les états se réunissent à Versailles.
17 juin Ils se proclament Assemblée nationale et s'engagent à donner une constitution à la France.
12 juillet La foule attaque les octrois des fermiers généraux.
14 juillet Prise de la Bastille. Lafayette forme une milice et conçoit le drapeau tricolore : blanc pour le roi, rouge et bleu pour Paris.
Novembre Les biens du clergé sont confisqués.
1790 Les nobles et le clergé renoncent à leurs privilèges.
1791 La famille royale tente de fuir Paris. Rattrapée, elle est emprisonnée.
10 août 1792 La foule prend le Louvre.
22 septembre Une nouvelle Convention nationale est élue et proclame la république.
21 janvier 1793 L'exécution de Louis XVI met fin à 805 années de monarchie.
2 juin La Convention est renversée par des groupes violents et les Girondins sont arrêtés.
Septembre Début de la terreur menée par Marat et Robespierre.
2 600 personnes sont guillotinées.
27 juillet 1794 Robespierre est exécuté à son tour.
Le pouvoir passe aux mains d'un Directoire de cinq membres.
1799 Napoléon Bonaparte prend le pouvoir par un coup d'État.
1804 Napoléon se proclame empereur.

1914 Paris échappe de peu à l'invasion pendant la Première Guerre mondiale grâce à la bataille de la Marne, et aux chauffeurs de taxi qui conduisent les renforts au front.
1919 Le traité de Versailles met fin à la guerre.
14 juin 1940 Le gouvernement fuit Paris, occupé par les Allemands.
27 août 1944 Libération de Paris. Les troupes alliées laissent le général Leclerc faire son entrée triomphale dans la capitale. De Gaulle y arrive deux jours plus tard.
Mai 1968 La révolte étudiante se répand dans tout le pays.
1977 Jacques Chirac élu premier vrai maire de Paris depuis 1871.
1989 Célébrations massives du bicentenaire de la Révolution.

Les noms des victimes de la Révolution des Trois Glorieuses de juillet 1830 sont gravés sur le socle de la colonne de la Bastille.

GÉOGRAPHIE DU POUVOIR

Palais de l'Élysée, 55, rue du Faubourg Saint-Honoré, 75008, résidence du président de la République.
Hôtel Matignon, 57, rue de Varenne, 75007, siège du Premier ministre.
Palais-Bourbon, 126, rue de l'Université, 75007, siège de l'Assemblée nationale.
Palais du Luxembourg, 15, rue de Vaugirard, 75006, siège du Sénat.
UNESCO (United Nations Educational, Scientific and Cultural Organization), 7, place de Fontenoy, 75007.
OCDE (Organisation pour la coopération et le développement économiques), 2, rue André-Pascal, 75016.

Chaque arrondissement possède sa mairie, mais la mairie de Paris, centre administratif de la capitale est l'Hôtel de Ville, dans le IVe.

ADMINISTRATION ET ÉCONOMIE

Paris est la capitale de la France depuis 1 000 ans. La ville et l'État sont inextricablement liés. Si le Président est élu au suffrage universel, le pays est dirigé par le Premier ministre et le gouvernement. Les députés sont élus pour cinq ans, les sénateurs pour neuf. Le pouvoir local se répartit entre 22 régions, 96 départements et 36 532 communes. À Paris, le maire et le conseil de Paris détiennent le pouvoir, dont une faible partie est dévolue aux maires d'arrondissement.

La politique à Paris

Une grande partie des explosions de violence dont l'histoire française est coutumière proviennent de la détermination des Parisiens à conquérir une plus grande liberté politique. La foule parisienne a été crainte par tous les gouvernements et les révolutions de 1789, 1830, 1848 comme la Commune de 1871 ont abouti à ce que le gouvernement central retire tout pouvoir au conseil municipal de Paris.

Il a fallu 106 ans pour que la ville retrouve un maire de plein exercice en 1977 – Jacques Chirac – qui sut en faire une plate-forme pour ses ambitions. La compétition entre le président Mitterrand et le maire Chirac a marqué les années 1980, chacun tentant d'imprimer sa marque à la capitale.

Le chic discret de la boutique de prêt-à-porter d'Yves Saint Laurent, place Saint-Sulpice.

Une croisière en bateau-mouche est une façon idéale de prendre un premier contact visuel avec Paris.

Économie

Dans l'ensemble, cette rivalité a bénéficié au développement des infrastructures parisiennes. La cité a été rénovée, assez bien gérée et peut s'enorgueillir de quelques-unes des meilleures réalisations de l'architecture contemporaine en Europe. Le tourisme a connu un essor massif, et constitue aujourd'hui l'une des principales activités économiques de la ville, avec la finance, la haute couture qui entraîne dans son sillage le prêt-à-porter, et les parfums. L'industrie a peu à peu été transférée dans les banlieues.

Paris bénéficie également de sa position de capitale d'un État très centralisé, et la France entière finance cette vitrine de la société, de l'administration, des arts et des médias.

LA POPULATION

Tout le monde connaît le cliché : les Parisiens sont hautains et peu accueillants, intellectuellement prétentieux, d'effroyables conducteurs et de terribles snobs. Peut-être ne faut-il pas généraliser.

Certains types sociaux existent encore, comme une haute bourgeoisie affectée au chic légèrement démodé, et

CHIRAC

Né en 1932, Jacques Chirac a été élu député en 1967 et nommé Premier ministre en 1974. Deux ans plus tard, il démissionne pour créer un parti néo-gaulliste. En 1977, il est élu maire de Paris, poste qu'il détient jusqu'en 1995. Il échoue à l'élection présidentielle de 1981 et de 1988. Toujours optimiste, il se présente dans des conditions difficiles à celle de 1995 qui le voit enfin remporter la victoire.

Ci-dessus : *élégantes boutiques de la place Vendôme.*
Page ci-contre : *le déjeuner des oiseaux dans le jardin des Tuileries.*

une vieille classe ouvrière qui subsiste dans quelques quartiers.

Mais la ville change vite. Paris est aujourd'hui peuplé d'immigrants venu de toutes les provinces françaises, mais aussi de toute l'Europe, d'Afrique et d'Asie. Il reste que pour les Parisiens, leur ville est définitivement le centre de l'univers civilisé et ils ont du mal à reconnaître qu'il existe un reste du monde, si ce n'est pour la gastronomie ou, une fois par an, pendant les vacances du mois d'août lorsqu'ils quittent la capitale en masse pour se répandre sur les côtes et dans les campagnes.

EN BALLON

En 1783, Paris s'enthousiasme pour le ballon plus léger que l'air des frères Montgolfier. Deux mois plus tard, le physicien Jacques Charles réalise la première ascension à vide, à partir de la place des Victoires. Peu après, Pilâtre de Rozier et le marquis d'Arlandes sont les premiers hommes à monter à bord d'un ballon, volant à 100 m de haut du château de la Meurtre à la Butte aux Cailles.
Pour des ascensions en ballon, contactez **France Montgolfière,** tél. 01 47 00 66 44 ou **Air Escargot**, tél. 03 85 87 12 30. Si vous préférez l'hélicoptère, contactez **Héli-France :** tél. 01 45 54 95 11, **ABC Hélicoptères,** tél. 01 69 90 14 18, ou **Paris Hélicoptère System,** tél. 01 48 35 90 44.

Religion

Bien que l'Église et l'État soient formellement séparés depuis 1905, la France reste un pays catholique. La participation aux messes est néanmoins en chute libre en dehors des grandes fêtes. Parallèlement, l'islam est de plus en plus présent, à travers une nombreuse population d'origine nord-africaine. Toutes les religions et sectes du monde sont représentées dans la ville.

Style de vie

Le rythme de la vie à Paris est tendu, rapide, excitant, stimulant, et absolument épuisant. Les Parisiens se flattent d'être sophistiqués, très cultivés, bien élevés, ouverts, tolérants et ne se laissent pas choquer facilement. Ils adorent aller au théâtre et au cinéma – en partie du fait de la qualité médiocre de la télévision française – aiment discuter d'idées nouvelles *ad nauseam*, et conservent leur noble tradition de grèves et de manifestations.

La cité est jeune, et le mouvement est créé par des gens aisés, souvent sans enfants. Il n'est d'ailleurs pas certain que la ville se préoccupe beaucoup de ceux-ci. Les Parisiens restent célibataires longtemps, forment tardivement une famille, et, grâce à des transports publics efficaces, ont tendance à partir s'installer en banlieue quand ils ont plusieurs enfants.

L'image est ce qui compte, que ce soit en matière de vêtements, de voitures, ou de meubles. Le salon peut être digne d'un musée, et les chambres à peine montrables. La mode évolue au rythme d'un métronome et l'on court vers les derniers restaurants ou quartiers à la mode. En termes de vêtements, le style de la rue est très mélangé et le chic parisien est moins répandu que l'on ne veut le croire, même si l'on aime paraître. Les habitants sont très attentifs à la vie intellectuelle, et aiment discuter et philosopher interminablement sur les nouveautés, en particulier dans les domaines de l'art et des idées. Ils le font dans une atmosphère et un cadre décoratif qui restent les symboles de ce qui représente Paris pour le reste du monde.

Savoir-vivre

Les règles et usages sont beaucoup moins formels aujourd'hui que jadis, mais il est préférable d'attendre un minimum de familiarité avant de se tutoyer ou de s'appeler par le prénom. À Paris, on s'embrasse éventuellement deux fois, jamais quatre (très banlieue) ni trois (provincial). Amis voyageurs, songez à avoir en main votre sac à dos avant de bousculer quelqu'un dans le métro.

LES ARTS

Architecture

Les premières pierres de Notre-Dame (1163) et de la Sainte-Chapelle (1245) annoncent l'ère du gothique qui semble alors jaillir des ruelles étroites et sombres de Paris. Il connaît un succès prolongé, même s'il n'en reste plus guère de traces. La Renaissance, un peu tardive en France, se manifeste à partir du début du XVIe siècle et les reines Médicis font triompher le goût italien dans la reconstruction du Louvre

Le Vau

Louis Le Vau (1612-1670), le grand architecte français du XVIIe siècle, est né à Paris. Fils d'un maître maçon et formé par son père, son talent est remarqué dans les années 1640 lorsqu'il construit quelques hôtels particuliers sur l'île Saint-Louis. Fouquet, ministre des Finances de Louis XIV, lui commande ensuite le magnifique château de Vaux-le-Vicomte (*voir* p. 110). Ses talents reconnus, il est nommé premier architecte du roi et redessine au Louvre la façade sur la Seine, mais c'est à Versailles (*voir* p. 104) qu'il donne libre cours à son génie. Il réunit une fabuleuse équipe de décorateurs, peintres, sculpteurs, et jardiniers pour édifier le plus splendide des palais à la gloire du Roi-Soleil.

ou au palais du Luxembourg. Très vite, après l'élégante parenthèse du style Louis XIII, Paris se donne au classicisme dont Versailles (1661-1682) est le modèle absolu. L'époque est dominée par l'architecte Le Vau (1612-1670), le peintre Le Brun (1619-1690) et le créateur de jardins Le Nôtre (1613-1700). Napoléon n'a guère le temps d'imposer son ordre néo-classique, si ce n'est à travers l'Arc de Triomphe.

Le XIXe siècle sera, comme partout en Europe, marqué par le retour aux styles anciens, néo-roman, néo-gothique, néo-Renaissance, néo-baroque. Les grandes expositions voient le triomphe de l'architecture de verre et de fer avec la tour Eiffel (1889), le Grand Palais et le

À droite : *la colonnade de la cour du Palais-Royal contraste avec les fontaines modernes de Spoerri.*

Page ci-contre : *le tombeau de Voltaire, le grand philosophe des Lumières, au Panthéon.*

pont Alexandre III (1896-1900). La période contemporaine est témoin d'un nouvel essor de la créativité architecturale à travers des projets comme le Centre Pompidou (1977), la pyramide du Louvre (1988) ou la Grande Arche de la Défense (1989).

Mots

Les intellectuels – et pseudo-intellectuels – parisiens ont longtemps considéré le monde des idées comme une scène, faisant des philosophes, d'Abélard au XIIe siècle (*voir* p. 51) aux existentialistes du XXe siècle, des stars à leur façon.

En 1635, le cardinal de Richelieu fonde l'Académie française au *numerus clausus* aussi fermé que l'esprit de ses membres qui éliminent des milliers de mots de la langue française au nom de sa pureté, et abandonnent le français vivant à la rue. L'âge d'or de la littérature française commence par le divertissement. À la cour brillante de Louis XIV, les riches aristocrates ont besoin de distraction pour éviter de penser à se rebeller. Il en résulte une étonnante production de pièces de théâtre, dont les comédies de mœurs de Molière (1622-1673) qui enchantent ceux dont elles se moquent, ou les tragédies poétiques et morales de Corneille (1606-1684) et Racine (1639-1699). Deux auteurs dominent le XVIIIe siècle : Voltaire (1694-1778), auteur de romans et de nouvelles d'une ironie ravageuse, et Beaumarchais (1732-1799) dont les célèbres pièces *Le Barbier de Séville* et *Le Mariage de Figaro* servirent de livret à Rossini et Mozart pour leurs opéras les plus célèbres.

Parmi les autres écrivains philosophes de l'époque, il faut également citer Rousseau (1712-1778) dont l'*Émile* ouvrit un grand débat sur l'éducation, et Diderot (1713-

LA COMÉDIE-FRANÇAISE

Premier théâtre national, la Comédie-Française a été fondée en 1680 par Louis XIV par la réunion de deux troupes théâtrales, celle de l'hôtel de Bourgogne (réunion elle-même du théâtre du Marais et de la troupe de Molière) et du théâtre Guénégaud. Financée par le roi, la compagnie bénéficiait d'un certain nombre de privilèges, abolis lors de la Révolution, qui vit la troupe disparaître en 1792. Elle fut reconstituée par Napoléon en 1812, année de son installation au Théâtre-Français. Elle interprète les œuvres de tous les grands auteurs français, en particulier Corneille, Molière et Racine.

1784) dont l'*Encyclopédie* réunit de multiples auteurs pour tenter de donner une explication rationnelle de l'univers.

Le XIXᵉ siècle est une grande période littéraire, illustrée par des romanciers comme Balzac (1799-1850), George Sand (1804-1876), Gustave Flaubert (1821-1880), les grands poètes Victor Hugo (1802-1885), Charles Baudelaire (1821-1867), le romancier réaliste Émile Zola (1840-1902) et Marcel Proust (1871-1922) qui ouvre le XXᵉ siècle.

Dans les années 1920 et 1930, de nombreux éminents auteurs américains et britanniques, dont Henry Miller, Ernest Hemingway, Gertrude Stein et George Orwell sont attirés par l'atmosphère créatrice parisienne. La crise économique de 1929 et la guerre interrompent ce flux d'idées – et flot d'alcool – qui reprendra dans les années 1950 avec l'existentialisme, Sartre, Simone de Beauvoir et Camus qui s'installent à Saint-Germain-des-Prés au Café de Flore ou aux Deux-Magots.

Depuis, le flambeau a été repris par des auteurs plus ésotériques comme Alain Robbe-Grillet et Nathalie Sarraute, mais Paris se sent un peu frustré dans sa « vocation » intellectuelle à l'universel.

Cafés parisiens

Les cafés font leur apparition à Paris au XVIIIᵉ siècle. On aime s'y retrouver pour boire le breuvage à la mode et parler politique ou littérature. Le plus célèbre est sans doute le café Procope, 13 rue de l'Ancienne-Comédie. Les philosophes s'y réunissaient pour débattre à loisir. Voltaire s'y rendait souvent, et l'on raconte que c'est là que Diderot et d'Alembert évoquèrent pour la première fois la rédaction de leur *Encyclopédie*.

Musique

Curieusement, Paris n'exerce guère d'influence dans le domaine de la musique avant le milieu du XIXᵉ siècle, produisant surtout des œuvres de divertissement, à l'exception honorable de Lully (1632-1687) et de Glück (1714-1787), tous deux d'ailleurs d'origine étrangère. Berlioz (1803-1869) sera même contraint de travailler à l'étranger. Comme dans beaucoup d'autres arts, l'activité musicale atteint son zénith au XIXᵉ siècle grâce à des compositeurs français ou étrangers comme Rossini (1792-1868), Chopin (1810-1849), Wagner (1813-1883), Offenbach (1819-1880), César Franck (1822-1891), Saint-Säens (1835-1921), Fauré (1845-1924), Debussy (1862-1918) et Ravel (1875-1937), ou des événements musicaux comme les Ballets russes de Diaguilev.

La vie nocturne prend de plus en plus d'importance et l'une des contributions typiquement parisiennes à l'art du music-hall est certainement le cancan (sur une musique d'Offenbach).

Le cabaret parisien donnera ses chances à des chanteurs comme Maurice Chevalier ou Édith Piaf et reconnaîtra le talent de grandes interprètes étrangères comme Joséphine Baker ou Marlene Dietrich.

Ci-dessus : *l'art du mime triomphe à Paris, et de nombreux artistes se donnent en spectacle autour de Montmartre et de Beaubourg.*

Page ci-contre : *le compositeur d'origine polonaise Chopin a longtemps vécu à Paris. Il est enterré au cimetière du Père-Lachaise.*

Peinture

Au Moyen Âge, l'art parisien se traduit surtout dans la pierre finement sculptée, le vitrail éclatant, les reliquaires délicatement ciselés et les manuscrits enluminés. L'art séculier se réduit aux meubles et aux tapisseries dont la fonction est également d'isoler du froid. Des guerres d'Italie, François Ier (1494-1547) qui a découvert la Renaissance, revient à Paris avec Léonard de Vinci et des chariots bourrés d'œuvres d'art.

Ses successeurs poursuivront son mécénat, mais sans éviter les écueils du décor surchargé, des statues de propagande et des innombrables portraits officiels, aux exceptions délicates près du grand Watteau (1684-1721), du charmant Boucher (1703-1770) et de l'habile Fragonard (1732-1806).

La Révolution et le XIXe siècle voient un changement d'optique radical. Des artistes comme Corot (1796-

Les impressionnistes

Les peintres impressionnistes aiment représenter la lumière, l'atmosphère et la couleur pour elle-même. Si chacun a son propre style, ils partagent le même intérêt pour la peinture directement sur le motif et la mise en œuvre des théories sur l'harmonie et la complémentarité des couleurs. Inspirés par Manet et son *Déjeuner sur l'herbe* (*voir* p. 82), et déçus par l'académisme ambiant, ils organisent leur première exposition de groupe en 1874. Leur nom vient d'un petit tableau de Monet, *Impression, soleil levant* et servira aux critiques à décrire leur travail. 8 expositions impressionnistes auront lieu, regroupant divers peintres, dont toujours Monet, Renoir, Sisley, Pisssarro, Cézanne, Degas et Morisot.

1875) ou Delacroix (1798-1863) quittent l'atelier pour l'extérieur, peignent ce qu'ils voient autour d'eux, enrichissent le sens de la peinture d'une profondeur nouvelle tout en explorant la couleur et la lumière. Leurs expérimentations ouvrent la porte à l'impressionnisme qui transformera le cours de l'histoire de la peinture.

Paris connaît alors le plus grand rassemblement d'artistes depuis la Renaissance à Florence.

Leur liste est impressionnante : Pissarro (1830-1903), Manet (1832-1883), Degas (1831-1917), Cézanne (1839-1906), Rodin (1840-1917), Monet (1840-1926), Renoir (1841-1919), Rousseau (1844-1910), Gauguin (1841-1919), Van Gogh (1853-1890), Seurat (1859-1891) et Toulouse-Lautrec (1864-1901). Les idées fleurissent, et l'on voit apparaître l'impressionnisme, le pointillisme, le fauvisme et l'expressionnisme. Paris ne leur fait pas très bon accueil et beaucoup de ces peintres vivent dans une grande pauvreté.

Le XXe siècle amène le cubisme, le surréalisme et une nouvelle vague d'artistes remarquables dont Matisse (1869-1954), Mondrian (1872-1944), Léger (1881-1955), Picasso (1881-1973), Braque (1882-1963), Utrillo (1883-

Les Parisiens apprécient la sculpture en plein air. Ce bronze de Maillol se trouve aux Tuileries.

L'art mural est très pratiqué et présent sur tous les espaces disponibles.

1955), Modigliani (1884-1920), Chagall (1887-1985), Ernst (1891-1976) et Mirò (1893-1983). Jusqu'à la Seconde Guerre mondiale, il est essentiel pour les artistes de venir étudier à Paris. Aujourd'hui la ville s'efforce de les attirer à nouveau, de passer des commandes, mais, les facilités de transport aidant, il est peu probable qu'elle retrouve jamais une telle concentration de talents.

GASTRONOMIE

La ville est le paradis des gastronomes, le centre spirituel et physique de la haute cuisine, avec sans doute la plus forte concentration de grandes tables au monde. Les restaurants régionaux de Paris reflètent également l'identité culinaire française et révèlent aux étrangers ce que les

Cinéma

Depuis qu'Auguste et Louis Lumière ont ouvert le premier cinéma de l'histoire à Paris en 1895, la ville est restée le centre d'une industrie cinématographique très active, dont les plus grands réalisateurs ont pour nom Jean Renoir (fils du peintre), Abel Gance, Marcel Pagnol, Jean Cocteau, Jacques Tati, François Truffaut, Jean-Luc Godard et Louis Malle, et les grandes stars Maurice Chevalier, Charles Boyer, Jean-Paul Belmondo, Simone Signoret, Brigitte Bardot, Jeanne Moreau, Gérard Depardieu, Catherine Deneuve, Isabelle Adjani et Alain Delon.

La carte des vins

La France est le premier producteur de vin du monde, ce qui n'empêche pas les Parisiens d'apprécier d'autres alcools comme la bière ou le pastis. Les cartes des vins sont souvent abondantes, et l'on commence à y trouver des crus californiens, italiens, espagnols, voire chiliens. Les vins en carafe, proposés dans les cafés ou les restaurants, sont de qualité variable, mais bon marché.

Français consomment au quotidien. Cependant tout n'est pas aussi rose que l'on pourrait le penser.

L'état de l'art

Les habitudes alimentaires des Français changent. Aujourd'hui, la plupart des femmes travaillent et n'ont tout simplement pas le temps de se livrer à de longues et savoureuses préparations culinaires. Conscients de leur taux de cholestérol, les employés de bureau remplacent le déjeuner traditionnel par un sandwich pris en vitesse et les supermarchés ont pris la place de bien des petits commerces alimentaires. La nourriture de tous les jours est beaucoup plus simple que jadis, les surgelés et les plats sous vide ou achetés chez le traiteur connaissent une progression massive. Si les amateurs de cassoulet et autres coqs au vin sont toujours aussi nombreux, ils se laissent volontiers tenter par le chili con carne ou l'omniprésent couscous.

Malheureusement, et c'est un vrai drame, ces changements ont commencé à affecter la carte des restaurants et des cafés dont la qualité devient problématique. Si l'on trouve toujours de nombreux restaurants traditionnels délicieux ou de nouveaux bistrots chics et chers, les brasseries et grands cafés vous servent sans vergogne une alimentation aussi dénuée d'imagination que dénaturées au micro-ondes et ne comptent plus que sur le charme de leur terrasse et la naïveté des touristes.

Les terrasses des cafés parisiens sont faites pour se détendre et oublier les kilomètres parcourus en regardant défiler le monde.

L'horloge interne

Le petit déjeuner parisien est le même que partout en France, café au lait, thé ou chocolat accompagné de croissants ou de tartines de beurre et de confiture.

Certains hôtels, plus au courant des goûts de leur clientèle internationale, proposent un peu de charcuterie, d'œufs à la coque, fruits

et yaourts. Pour le déjeuner, il est prudent d'aller au restaurant vers 12 h 30 si vous n'avez pas réservé, car à partir de 13 h vous ne trouverez plus de place. Tous les restaurants, y compris les meilleurs, proposent des menus de rapport qualité/prix souvent excellent, alors qu'une simple omelette-salade peut se révéler très chère. Choisissez de préférence les plats du jour. Les nombreux bancs publics des jardins de Paris et les quais de la Seine sont un lieu idéal pour un pique-nique, alternative économique, mais ne tentez surtout pas de vous installer à la terrasse d'un café avec vos sandwichs achetés ailleurs... De plus en plus de boulangeries vendent d'excellents sandwichs, pizzas, quiches diverses et même des boissons.

Dans de nombreux quartiers, l'on trouve encore de ces épiceries fines traditionnelles qui vendent vins, thés, chocolats, confitures, et toute sorte de douceurs.

Les Parisiens dînent assez tard, à partir de 20 h 30. Plus tôt, vous serez vraiment considéré comme un touriste. Essayez toujours de réserver, car les restaurants sont généralement petits. Le choix se rétrécit après le

HAUTE CUISINE

Au début du XIXe siècle, le cuisinier de Talleyrand, Marie-Antoine Carême (1784-1833) fit revivre les somptueuses traditions pré-révolutionnaires de la cuisine de cour, riche en crème, alcool, foie gras et truffes, et publia une œuvre fondamentale : *La Cuisine française*. 50 ans plus tard, un autre Parisien célèbre, Escoffier (1847-1935) fut salué comme le « Roi des chefs et le chef des rois ». La réputation de la cuisine française était assurée pour longtemps. La grande tradition s'est poursuivie au cours des années 1970-1980 et la mode assez brève de la nouvelle cuisine (petites portions merveilleusement présentées). Depuis, le goût s'est reporté sur la cuisine du terroir – les grands chefs réinterprétant des recettes classiques allégées – et même des inspirations exotiques, asiatiques en particulier.

spectacle et il ne vous reste plus que les grandes brasseries, ou les restaurants à la mode, ou encore « ethniques », qui ne sont pas toujours les meilleurs.

Bistrot ou brasserie ?

Où manger à Paris est un choix cornélien, mais aussi un plaisir, tant est vaste la variété des tables, des chefs, des cuisines. Quelques restaurants renommés doivent se réserver plusieurs semaines, voire plusieurs mois à l'avance, mais appelez-les quand même, une annulation est toujours possible.

De nombreux guides gastronomiques peuvent guider votre choix, ainsi que les tables conseillées p. 116 à 119. Demandez conseil à des amis, ou même dans la rue. Les Parisiens ont tous une idée précise sur l'endroit où il faut aller. Évitez les « usines à touristes » aux immenses menus et cartes de surgelés. Dès que vous sortez du centre, les prix baissent considérablement et les bonnes surprises sont fréquentes.

Les cafés servent aussi des collations comme les croque-monsieur (commandez-les sur pain Poilâne) ou des assiettes anglaises. Attention aux suppléments si vous consommez en terrasse ou après 22 h. Les brasseries sont de plus en plus sophistiquées et très à la mode. Quelques chaînes (Flo, Batifol et autres) proposent des cartes sympathiques à des prix raisonnables

Quelques grands fromagers parisiens maintiennent la tradition de l'affinage.

dans une ambiance très parisienne. Les bistrots vont du pire au meilleur. Mais connaissez-vous la petite histoire du mot « bistrot » ? Ce sont les Russes blancs, émigrés qui, en 1917, ont surnommé ainsi les estaminets (le mot russe signifiant « rapide »).

C'est sur une petite table d'arrière-salle, bien enfumée, entourée de convives prêt à participer à votre conversation que vous découvrirez peut-être le mieux l'esprit parisien traditionnel : râleur, drôle, vif, amateur de bonne chère et de bon vin.

L'intérieur de ce café Art nouveau a su préserver un certain art de vivre de la fin du siècle dernier.

Côté ethnique

Les gastronomes parisiens ne sont pas nationalistes, et se sont ouverts à la plupart des cuisines du monde, au rythme des différentes vagues d'immigration : on trouve ainsi des établissements russes, polonais, italiens, maghrébins, vietnamiens, libanais, chinois…

À ceux-ci se sont ajoutés des restaurants thaïs, japonais et indiens, sans compter les pubs anglais ou irlandais (présents surtout dans le Ier arrondissement et au quartier Latin). Beaucoup d'entre eux sont bon marché, certains très bons et changent agréablement du steak-frites. La plupart proposent des plats végétariens que vous seriez bien incapable de trouver dans un bistrot classique.

Pour les petites faims et les envies de produits frais, même tard le soir, vous pouvez partir à la découverte de l'épicerie du coin, ouverte sept jours sur sept, tenue par un Marocain ou un Tunisien.

2
Les îles

Île de la Cité ***

(métro : Cité, Pont-Neuf, Saint-Michel)

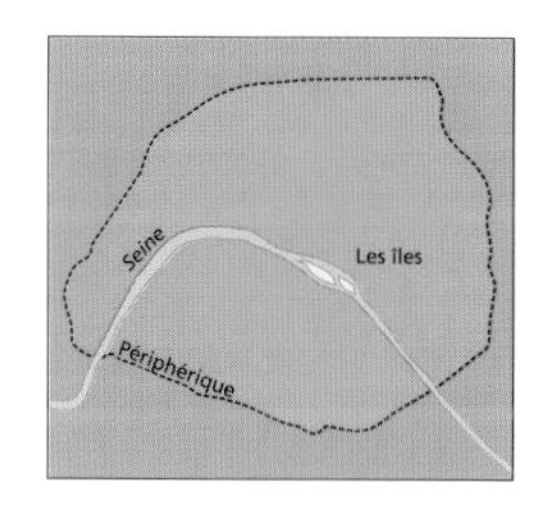

La Conciergerie

Située sur le quai nord – quai de l'Horloge – l'impressionnante **Conciergerie** occupe le site de l'ancienne demeure du gouverneur romain au IVe siècle, puis du palais royal du roi mérovingien Clovis (VIe siècle). Elle reste le siège du pouvoir jusqu'en 1358, date après laquelle sa partie sud, le **Palais de Justice**, devient le siège du parlement et du principal tribunal, tandis que sa partie nord, la Conciergerie proprement dite, est la résidence du concierge (gardien des clés de la cité, fonction importante qui consiste également à lever les impôts), et la prison de la ville.

Subsistent de cette époque la tour Bonbec (XIIIe siècle), site de la chambre des tortures, et la tour de l'Horloge équipée d'une horloge dès 1370.

Le bâtiment connaît sa plus sombre période avec la Révolution. En 1793-1794, pendant la Terreur, quelque 2 600 personnes, dont la reine Marie-Antoinette, y seront emprisonnées avant d'être envoyées à la guillotine, Madame du Barry, Charlotte Corday (qui avait assassiné Marat dans son bain), Danton et Robespierre. Les prisonniers, qui dormaient sur la paille, étaient rassemblés dans un corridor appelé rue de Paris. La visite guidée permet d'admirer différentes belles salles médiévales, les cuisines, les appartements du bourreau et les cellules, dont celle de la reine.

À NE PAS MANQUER

***** Cathédrale Notre-Dame de Paris**
***** Sainte-Chapelle**
deux des plus remarquables exemples d'architecture gothique qui soient.

Ci-contre : *le portail ouest (entrée principale de Notre-Dame) montre le Christ sur le pilier central, entouré de personnages sculptés évoquant le Jugement dernier.*

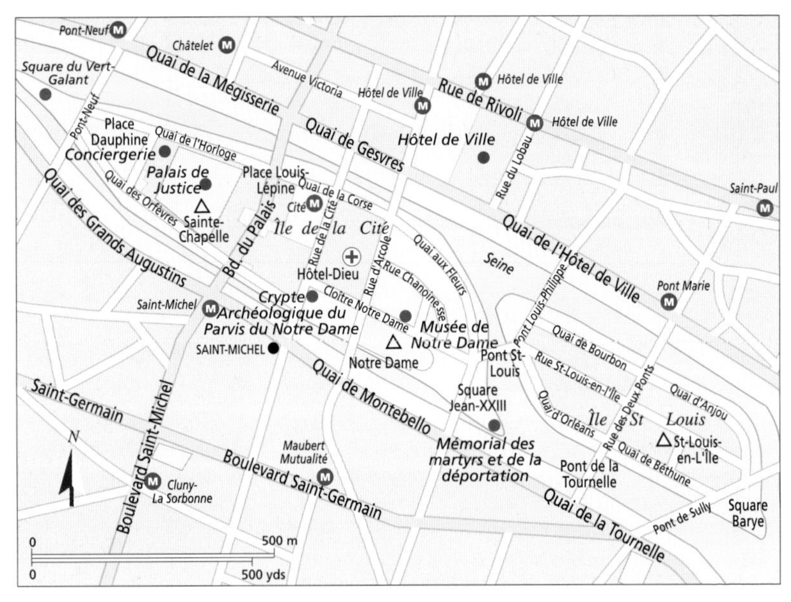

La chapelle basse de la Sainte-Chapelle, utilisée par les serviteurs du roi, est un chef-d'œuvre ogival.

La Sainte-Chapelle ★★★

Au XIXe siècle, le Palais de Justice est reconstruit, à la suite de la réorganisation du système judiciaire. Pratiquement dissimulée derrière d'autres bâtiments, la Sainte-Chapelle, aux allures de châsse, a été édifiée en 1246-1248 par Pierre de Montreuil pour saint Louis (1226-1270) afin d'abriter la couronne d'épines du Christ et d'autres reliques que le roi avait achetées à des marchands vénitiens. Certaines furent perdues durant la Révolution, et celles qui ont été sauvées se trouvent à Notre-Dame.

Gracieuse et élancée, la chapelle est plus un musée qu'une église puisque la messe n'y est célébrée que le 10 mai, fête de saint Yves, saint patron des avocats.

La chapelle haute est un véritable kaléidoscope de vitraux enserrés entre de fines colonnes cannelées. C'est un des chefs-d'œuvre absolus de l'art gothique. Scène de nombreux mariages royaux, c'est dans ses murs, en 1396, que Richard II d'Angleterre a été fiancé à Isabelle, fille de Charles VI.

La rose de Notre-Dame a inspiré de multiples modèles.

Cathédrale Notre-Dame de Paris ***

Ce superbe chef-d'œuvre architectural gothique a été édifié sur le site de nombreux temples païens, dont un consacré à Cernunnos, gardien du monde des ténèbres, un autre à Jupiter et plusieurs églises. Construite entre 1163 et 1345, elle mesure 130 m de long, et ses tours 69 m de haut. La flèche de 90 m a été ajoutée au XIXe siècle par l'architecte Viollet-le-Duc ainsi que les splendides gargouilles de la galerie des chimères et les statues des toits en cuivre vert.

La splendide façade ouest (XIIIe siècle) s'ouvre par trois portails, consacrés à la Vierge (à gauche), sainte Anne (à droite) et au Jugement dernier (centre). Au-dessus se développe la galerie des Rois d'Israël, ancêtres du Christ, et au-dessus encore Adam et Ève et la Vierge, entourés d'anges. On peut escalader les 387 marches de la tour nord, pour voir les cloches, les toits, les gargouilles et contempler un superbe panorama.

La cathédrale possède trois roses, chacune de 13 m de diamètre. La plus ancienne et la plus belle, sur le transept nord, a été offerte par saint Louis au XIIIe siècle et

LA GLOIRE DU VITRAIL

La Sainte-Chapelle possède 600 m² de verrières qui illustrent 1 100 scènes. Les 2/3 de ces vitraux datent du XIIIe siècle et sont les plus anciens vitraux parisiens. Les autres sont de superbes copies XIXe. La rose sur les Révélations a été offerte par Charles VIII en 1485. Pour lire cette véritable bible illustrée, partir de la gauche de l'entrée et remonter la nef. Toute l'Histoire du Monde est contenue dans la sculpture et les vitraux de cette chapelle.

Ci-dessus : *vue de la cathédrale prise du square Jean-XXIII, montrant ses contreforts aériens.*

Ci-dessous : *fontaine Wallace de la rue Lépine, île de la Cité.*

représente des personnages de l'Ancien Testament, entourant la Vierge. La rose sud, fortement restaurée, s'inspire du Nouveau Testament autour d'un Christ en majesté. La verrière ouest, au-dessus de l'entrée principale, est en partie masquée par les magnifiques orgues, parmi les plus importantes du monde, avec 113 clefs et 8 000 tuyaux.

À l'intérieur, les petites chapelles latérales, dont beaucoup ont été offertes par des corporations médiévales, entourent une nef aux dimensions impressionnantes. .Vers le centre, une superbe clôture en bas relief sculpté du XIVe siècle, représentant la Nativité (au nord) et la Résurrection (au sud) sépare le déambulatoire du chœur, reconstruit en 1723, en souvenir du vœu de Louis XIII. Tout en haut, a été placée une superbe pietà de Nicolas Coustou, flanquée de statues en marbre de Louis XIII et Louis XIV. Une porte dans le mur sud mène au Trésor, riche collection de reliquaires d'or et d'argent, de sculptures en ivoire, de livres et d'objets historiques.

Le parvis de Notre-Dame

La place ne mesurait à l'origine qu'un quart de la surface actuelle. Le parvis a été dégagé par Hausmann au milieu du XIXe siècle (*voir* p. 8). Une étoile de cuivre insérée dans le pavement marque le **point zéro** d'où sont calculées toutes les distances en France par rapport à Paris. À gauche, le massif **Hôtel-Dieu** est l'hôpital principal de la capitale depuis 660. À droite, s'élève la **préfecture de Police**, site d'une dure bataille entre la police et l'armée allemande lors de la Libération de Paris en 1944.

En 1965, la construction d'un parking sous le parvis a révélé une tranche fascinante de l'histoire locale : des murs romains et médiévaux, des tracés de rue, les fondations de la cathédrale mérovingienne et celles du XVIIIe siècle. Des éléments ont été déposés dans la **crypte**

archéologique du parvis de Notre-Dame, musée souterrain remarquable qui explique le sens de ces vestiges.

À voir également

La charmante **place Dauphine** et le paisible **square du Vert-Galant** (ainsi nommé par allusion aux qualités de séducteur d'Henri IV) formaient jadis un îlot séparé, L'île aux Juifs, où l'on brûla quelques-uns d'entre eux et quelques sorcières, ainsi que le grand maître de l'ordre du Temple, Jacques de Molay. La statue d'Henri IV a été fondue pendant la Révolution et la copie actuelle a été réalisée à partir du Napoléon qui couronnait à une certaine période la colonne Vendôme ! Le **Pont-Neuf** est le plus ancien pont de Paris, inauguré en 1607, et jusqu'à la Révolution était un lieu animé et élégant où il fallait être vu.

Place Louis-Lépine, le marché aux fleurs (en semaine) se transforme en marché aux oiseaux le dimanche matin. Derrière la cathédrale se trouve un petit musée dédié à l'histoire du monument, le **musée de Notre-Dame**, *10, rue du Cloître-Notre-Dame, IVe* et le **square Jean-XXIII**, où se dressait jadis le palais de l'archevêque détruit pendant les émeutes de 1830, offrant une vue stupéfiante sur les contreforts et les statues qui ornent l'arrière de la cathédrale.

La partie est de l'île est réservée à un très émouvant **Mémorial des martyrs et de la déportation**, érigé en souvenir des 200 000 Français morts dans les camps de concentration nazis.

UNE VIE TURBULENTE

Au cours des ans, Notre-Dame a vu le couronnement de Henri VI d'Angleterre (1430) et de Napoléon Ier (1804), et entendu des Te deum pour la libération de Paris des Anglais (1437), et des Allemands (1944). Très endommagée par la Révolution, elle fut rebaptisée Temple de la Raison, dans lequel une danseuse jouait le rôle de la déesse, et n'échappa à la démolition que par la publication du célèbre roman de Victor Hugo (1831). Elle fut de nouveau endommagée par la Commune (1871) qui l'incendia et décapita les rois d'Israël et de Judée pensant qu'il s'agissait des rois de France.

Le Pont-Neuf, plus vieux pont de Paris, réunit l'île de la Cité aux deux rives de la Seine.

PROMENADE DANS L'ÎLE

Du métro Pont Marie, traversez le pont, tournez à gauche sur le quai d'Anjou. À droite au square Barye encore sur le quai de Béthune. Prenez la première rue à droite, puis la première à gauche, rue Saint-Louis-en-l'Île. Rue des Deux-Ponts, tournez à gauche puis à droite sur le quai d'Orléans. Au Pont Saint-Louis, tournez à droite dans la rue Saint-Louis-en-l'Île. De retour rue des Deux-Ponts, tournez à gauche pour revenir au pont Marie.

SAINT LOUIS

Né en 1214, le roi Louis IX monte sur le trône à l'âge de 12 ans. La régence de sa mère, Blanche de Castille, conduit à une rébellion des féodaux. Une fois sur le trône, il procède à des réformes administratives et légales et promeut l'instruction. Il participe aux croisades, rapporte de nombreuses reliques en France et fait édifier la Sainte-Chapelle et la Sorbonne. Il est révéré pour son sens de la justice et sa piété. Il meurt de la peste à Tunis, lors de la huitième croisade, en 1270. Il fut canonisé par Boniface VIII en 1297.

ÎLE SAINT-LOUIS **

(Métro : Pont Marie, Cité, Sully-Morland)

Il est curieux que l'île Saint-Louis, fréquentée par des lavandières, des pêcheurs et des vaches, soit restée pratiquement inhabitée jusqu'au XVIIe siècle. Charles V (1364-1380) creusa un canal de défense sur le tracé de la rue Poulletier actuelle, créant deux petites îles, l'île Notre-Dame et l'île aux Vaches. En 1627, alors que le Marais était en plein essor, un architecte, Christophe Marie, et deux financiers, Poulletier et Le Regrattier, obtinrent un bail de 60 ans, la permission de réunir les deux îles et le droit de les vendre en terrains à bâtir. Ils dessinèrent un plan d'urbanisme en grille, édifièrent des quais ornés d'arbres et encouragèrent l'aristocratie et les riches bourgeois à venir s'installer. C'est ainsi que naquit ce quartier d'une grande élégance et de beaucoup de charme, qui compte encore une population d'environ 6 000 habitants, plus les touristes.

Promenez-vous dans les ruelles et le long des quais tranquilles ombragés d'immenses peupliers, et admirez l'harmonie et le luxe des hôtels particuliers. Beaucoup de ces maison arborent une plaque au nom de leurs habitants illustres : banquiers, hommes politiques, artistes, sculpteurs, écrivains et poètes. Les **quais de Bourbon et d'Anjou** ont été, à un certain moment, la meilleure adresse de Paris. Une façade sobre cache les luxueux intérieurs de l'**hôtel de Lauzun**, *17, quai d'Anjou, IVe*. Construit en 1657 pour un financier jeté en prison avant d'y emménager, la maison a pris le nom du duc de Lauzun. Le Brun, Le Sueur et Bourdon ont travaillé à sa décoration. Gautier, Baudelaire, Rilke, Sickert et Wagner y ont vécu, et dans les années 1840, il fut le siège du célèbre club des Hachischins (mangeurs de haschich) animé par une fameuse courtisane, Aglaë-Appolonie Sabatier. Le caricaturiste Daumier a habité 9, quai d'Anjou. À la pointe de l'île se trouve le calme **square Barye**, nommé ainsi en l'honneur d'un de ses habitants, le grand sculpteur animalier.

Au sud, les **quais d'Orléans** et de **Béthune** sont maintenant une adresse encore meilleure. Le quai d'Orléans offre des vues magnifiques sur l'abside de Notre-Dame, la statue de sainte Geneviève par Landowski (1928), et le

pont de la Tournelle. Au n° 6 se trouvent la bibliothèque polonaise et le **musée Adam-Mickiewicz**, empli de souvenirs de Chopin et de Mickiewicz, un des fondateurs du mouvement romantique en Pologne.

Très commerçante, la rue **Saint-Louis-en-l'Île**, sépare l'île en deux dans le sens de la longueur. Vers le second tiers, l'**église baroque Saint-Louis-en-l'Île** (1664-1726) a été dessinée par Le Vau. Elle possède un intéressant autel sculpté et doré, une étonnante horloge en fer et une remarquable flèche percée d'ouvertures ovales, élevée en 1765 pour remplacer la précédente détruite par la foudre. Des concerts de musique classique sont organisés dans sa nef.

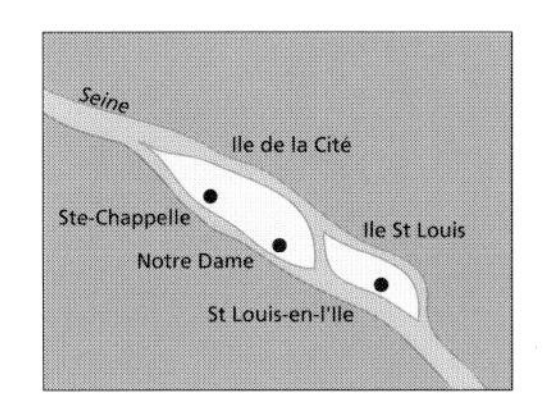

Le Vau a également construit l'**hôtel Lambert**, *2 rue Saint-Louis-en-l'Île*, qui fut habité par Voltaire et Mme du Châtelet.

Au n° 51, le délicieux **hôtel Chenizot** (XVIIIe siècle), ancienne demeure de Theresa Cabarrus dans les années 1790. Surnommée Notre-Dame de Thermidor, elle possédait sept enfants illégitimes et aurait été la maîtresse de la quasi-totalité des membres du gouvernement révolutionnaire. Au n° 31, ne pas manquer **Berthillon**, meilleur glacier de Paris et institution parisienne. Le **pont Saint-Louis**, qui relie l'île à celle de la Cité, est le neuvième jeté à cet endroit. Le site avait été maudit par des gitans en 1472, et le premier pont édifié s'effondra le jour de son inauguration en 1634, provoquant la noyade de 20 personnes.

Le quai de Béthune, sur l'île Saint-Louis : agréable promenade au bord de l'eau, et vue superbe sur Notre-Dame.

3
Beaubourg, les Halles, le Marais et la Bastille

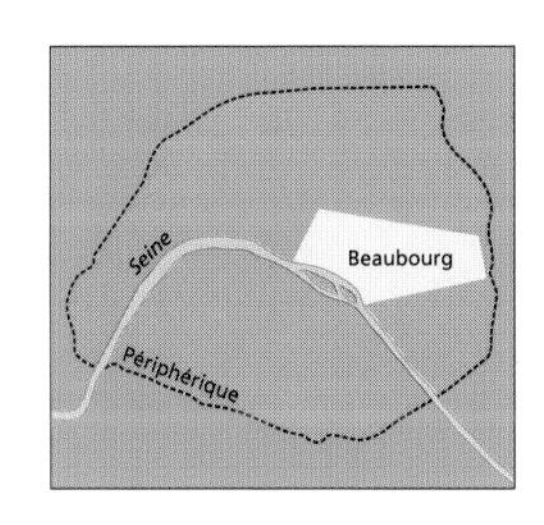

Les quais

Si l'île de la Cité est le cœur du Paris royal et religieux, la rive droite en a toujours été le centre commerçant. **La Samaritaine**, *19 rue de la Monnaie, Ier (métro : Pont-Neuf)*, est un grand magasin ouvert en 1869 par un commerçant prospère du quartier, Ernest Cognacq, et tire son nom d'une statue qui se trouvait sous les arches du Pont-Neuf (*voir* p. 35). Aujourd'hui, c'est l'un des plus grands magasins parisiens, doté d'un superbe escalier Art nouveau et, dans le bâtiment du quai, d'un restaurant en terrasse qui offre une vue remarquable sur la ville.

La **place du Louvre** *(métro : Louvre, Pont-Neuf)* fut jadis le quartier général du général romain Labienus. L'église **Saint-Germain-l'Auxerrois**, dont les fondations remontent au VIe siècle, a été fortifiée par les Normands et reconstruite en collégiale en 1205. Du XIVe au XIXe siècle, elle fut chapelle royale, et pendant la Révolution on la transforma en poudrière, poste de police et grenier. En 1572, sa cloche annonça le début de la Saint-Barthélemy et du massacre des protestants (*voir* p. 14). Son clocher du XIXe siècle qui la jouxte possède un carillon de 38 cloches qui donne régulièrement des récitals.

La **place du Châtelet** remplace une prison médiévale de sinistre réputation, et sous sa surface débute la plus grande station de métro du monde *(Châtelet-Les Halles)*. Au nord, se dressent les restes de la superbe **tour Saint-Jacques** (XVIe siècle), vestige de 52 m de haut de l'église Saint-Jacques de la Boucherie, construite par la corporation des bouchers au point de départ officiel des pèlerinages vers Saint-Jacques-de-Compostelle.

À NE PAS MANQUER

*** **Centre Georges-Pompidou,** musée national d'Art moderne dans un bâtiment révolutionnaire.
*** **Le Marais,** promenez-vous dans les rues de ce quartier ancien entre la place des Vosges, l'hôtel Salé (musée Picasso) et le musée Carnavalet.

Ci-contre : l'Écoute, *par Henri de Miller, sous les gargouilles de Saint-Eustache.*

FEUX DE JOIE, GIBETS ET GRÈVES

La place de Grève, actuelle place de l'Hôtel-de-Ville (ainsi nommée par la baron Haussmann), fut le théâtre de spectacles joyeux et de faits sinistres. Le siège de la municipalité parisienne s'installa sur la place de Grève dès 1357. Dès lors, et en présence du roi, le peuple parisien y célébra les feux de la Saint-Jean.

Ce fut également un lieu d'exécution où l'on décapitait, pendait et brûlait en public. En 1793, au début de la Terreur, la guillotine y fut installée.Cet abattoir humain vit défiler 2 600 victimes. Robespierre, l'architecte de cette politique, fut lui-même arrêté et exécuté en 1794.

La municipalité de Paris siège depuis 1260 **place de l'Hôtel-de-Ville**. Le premier **hôtel municipal** fut édifié sous François Ier, mais seulement achevé au XVIIe siècle. Il a été le siège de la Commune de Paris sous la Révolution et brûla de fond en comble en 1871. Le bâtiment actuel, de style néo-Renaissance extraverti, date de 1874-1882.

LES HALLES *

Rue Berger, rue Rambuteau, Ier (métro : Châtelet-Les Halles). Le marché des Halles existait déjà en 1110. En 1183, Philippe-Auguste fit construire les premières halles permanentes couvertes, louant des emplacements à des commerçants qui vendaient de tout, de la nourriture à la dentelle en fil d'or. En 1851, l'architecte Victor Baltard conçut d'immenses parapluies de fonte et de verre pour abriter leur commerce florissant. En 1969, le marché des fruits et légumes et de la viande fut déplacé vers des installations plus modernes et hygiéniques en banlieue sud. Les pavillons de Baltard furent détruits et seuls quelques noms de rues conservent la trace de ce lointain passé. Les célèbres restaurants sont, eux, restés en place et attirent une foule de gens à la mode et de touristes pour déguster gratinées et pieds de cochon.

En 1979, un étonnant complexe couronné d'ombrelles graciles a fait son apparition au-dessus d'un immense trou transformé en centre commercial assez peu inspiré qui abrite quelques petits musées pour touristes consciencieux. Au niveau 1, se trouve le **musée Grévin**, dont les personnages de cire évoquent le Paris de la Belle Époque, tandis que le **Musée holographique** possède une remarquable collection d'images réalisées selon cette technique. Cité-Ciné Les Halles est un énorme complexe de 20 confortables salles de

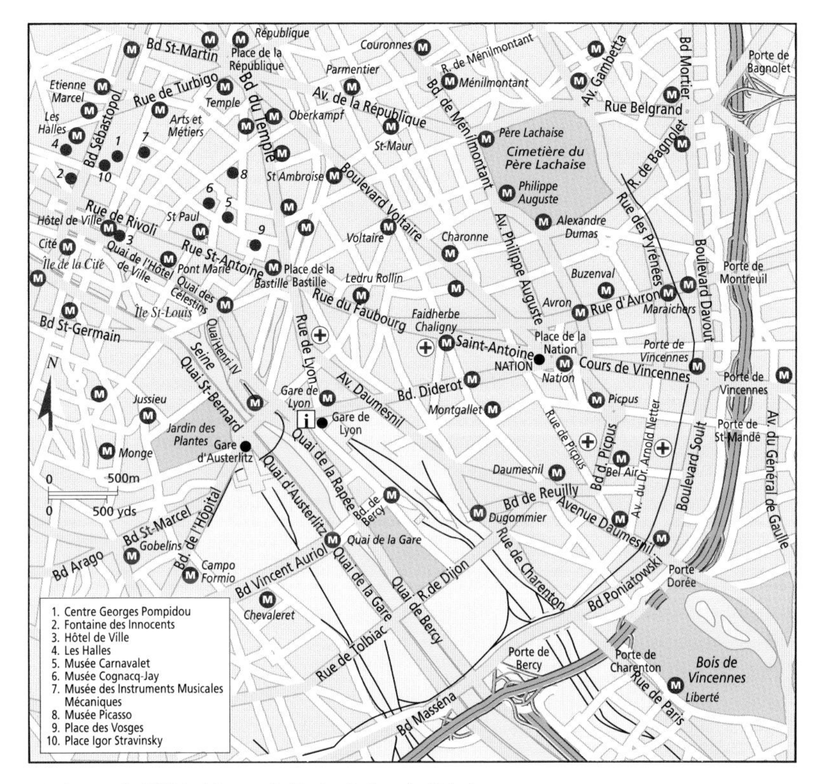

cinéma et la **Vidéothèque de Paris**, *2 Grande Galerie*, propose un immense choix de films et d'images de télévision sur la capitale.

Dans l'ensemble, les grands jardins plantés sur la dalle de ce centre commercial ne manquent pas d'intérêt. Divisés en plusieurs zones par des allées sous treillage et des pavillons, ils offrent des activités d'éveil pour les enfants et sont ornés de quelques sculptures modernes de qualité. La partie ouest se termine sur la **Bourse du commerce**, ancien marché aux grains, devant laquelle l'énorme colonne était jadis l'observatoire de Catherine de Médicis et de ses astrologues (dont Nostradamus).

Le joyau du quartier est cependant la vaste **église Saint-Eustache** qui domine l'énorme tête de pierre du

Ci-contre : *Saint-Eustache, vue à travers l'une des pergolas créées à la place de l'ancien marché des Halles.*

Place Igor-Stravinsky, Paris célèbre la musique du compositeur russe par des jeux de sculptures et de jets d'eau.

sculpteur Henri de Miller. Une première église fut édifiée au XIIIe siècle par un marchand enrichi dans les concessions des Halles. L'église actuelle, de style Renaissance française (1532-1637) reprend le plan de Notre-Dame et a reçu une façade inachevée de style néo-classique en 1754-1788. C'est là que le cardinal de Richelieu, Molière et Madame de Pompadour ont été baptisés, que Louis XIV a fait sa première communion, que Lully s'est marié et que Colbert, La Fontaine, Molière et Mirabeau ont eu leurs funérailles. Saint-Eustache est aussi le lieu de la création du *Te Deum* de Berlioz et d'une messe de Liszt.

À l'est, le **square des Innocents** était jadis un cimetière, ceint dès 1186. On raconte que pendant le siège de Paris de 1590, les habitants faisaient de la farine avec les os des squelettes. En 1786, on supprima le cimetière et transporta les ossements de 2 millions de corps environ aux catacombes (*voir* p. 94).

Aujourd'hui le square entouré de restaurants de hamburgers, et animé de chanteurs et de baladins s'orne en son centre de la merveilleuse **fontaine des Innocents** de Pierre Lescot, sculptée par Jean Goujon à la Renaissance, en 1549, et installée ici en 1788.

Un échafaudage multicolore

La structure du Centre Pompidou se compose de 14 portiques de 12,8 m montés sur des piliers de 50 m, remplis d'eau pour les rendre plus rigides et les protéger du feu. Chacun des cinq niveaux est un vaste espace ouvert de 7 500 m^2 (2 terrains de football). Tous les éléments techniques ont été repoussés sur les façades. Les tuyaux bleus servent à l'air conditionné, les verts aux fluides, les jaunes à l'électricité et le rouge à la communication (ascenseurs, escalators). Les grandes structures blanches du toit sont des centrales de conditionnement de l'air.

Beaubourg ***

(Métro : Hôtel de Ville/Châtelet/Les Halles)

Au cours des années 60, le quartier misérable et ironiquement nommé Beaubourg fut rasé. À sa place, le président Georges Pompidou demanda à deux architectes, le Britannique Richard Rogers et l'Italien Renzo Piano de créer un centre artistique et une bibliothèque. Futuriste, controversé, et ne dissimulant rien des ses entrailles, le **Centre Pompidou** lança un nouveau style architectural, le high-tech. Prenez le grand escalier mécanique couvert qui conduit au 5e étage. La vue s'amplifie de façon magique au cours de l'ascension, et vous pouvez observer l'animation des peintres, bateleurs et musiciens de la piazza. Le 5e étage est consacré aux grandes expositions.

La superbe collection permanente du **musée national d'Art moderne** va des débuts du siècle à nos jours. La collection « historique », qui couvre la période 1905-1965 est située au 4e étage. Elle est présentée chronologiquement, mais les chefs-d'œuvre de Matisse, Picasso, Kandinsky ou Léger sont regroupés dans la galerie principale. Les salles latérales sont consacrées à des artistes ou des mouve-

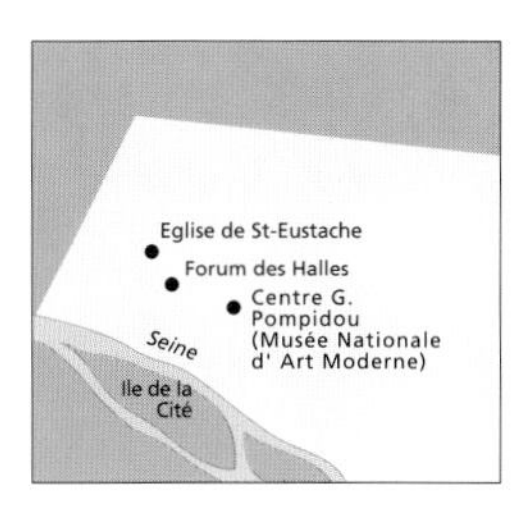

L'extraordinaire Centre Pompidou est une attraction culturelle majeure qui organise de multiples expositions et dispose d'une documentation multimédia exceptionnelle.

Saints et martyrs

Saint Germain l'Auxerrois fut évêque d'Auxerre au Ve siècle et missionnaire qui compta saint Patrick et sainte Geneviève parmi ses fidèles. Il dirigea deux expéditions en Angleterre contre les Saxons et les Picts.

Général romain, **saint Eustache** fut converti par l'apparition d'une croix entre les bois d'un cerf. Il fut martyrisé, brûlé vif dans un taureau de bronze.

Saint Merri (diminutif de Medericus) était un abbé de la fin du VIIe siècle qui, venu en pèlerinage sur la tombe de saint Denis, fonde la première petite chapelle dans laquelle il sera enterré. Les prisonniers qui espèrent une libération rapide s'adressent traditionnellement à lui.

Le Défenseur du temps, dans le quartier de l'Horloge, illustre le combat permanent entre le temps et les éléments.

ments. Au 3e étage se déroulent aussi des expositions temporaires. Mais ce programme sera bouleversé par la réorganisation du musée qui durera jusqu'à l'an 2000.

Le Centre Pompidou comprend aussi un Centre de création industrielle, pour le design commercial et industriel, l'Ircam (Institut de recherches et de coordination acoustique-musique), une immense bibliothèque publique sur deux niveaux, un centre de vidéo, un cinéma, des auditoriums où sont donnés spectacles, lectures et conférences.

La façade sud donne sur la **place Igor-Stravinsky**, animée par une étonnante fontaine où se prélassent des créatures aux couleurs éclatantes de Niki de Saint-Phalle et les mobiles intrigants de Jean Tinguely. L'étroite rue Saint Martin borde l'**église Saint-Merri** de style gothique flamboyant tardif (1520-1612), ancienne église paroissiale de prêteurs sur gages de la rue des Lombards. Jetez un coup d'œil sur le petit diable hermaphrodite au-dessus du portail. L'intérieur a été transformé sous le règne de Louis XV.

Au nord du Centre Pompidou s'élève le **quartier moderne de l'Horloge** au centre duquel a été installée une horloge animée de Jacques Monestier, **Le Défenseur du temps** (rue Bernard-de-Clairvaux), en cuivre poli. À chaque heure, le guerrier s'attaque aléatoirement à un dragon (la terre), observé par un aigle (l'air), un crabe (la mer), au bruit d'effets sonores menaçants. À midi, à 18 h et à 22 h, il triomphe de ces trois monstres sauvages qui l'assaillent.

OH LA LA !

Le fantaisiste Maurice Chevalier (1889-1972), né à Ménilmontant, s'est imposé comme l'archétype du « titi » parisien et du Français dans d'innombrables films et chansons. Il débute à l'âge de 17 ans et trois ans plus tard est le partenaire de Mistinguett aux Folies-Bergère. Il devient une vedette du cinéma, alors en plein essor. Les Américains se rappellent de son célèbre duo dans *Gigi*, où il donne la réplique à Hermione Gingold dans une scène où un couple âgé se rappelle sa jeunesse.

Le proche **musée des Instruments** musicaux mécaniques, impasse Berthaud, est une charmante collection privée de boîtes à musique, d'automates et d'orgues de Barbarie remontant au XVIIIe siècle.

Le Marais ***

(Métro : Saint-Paul/Chemin Vert/Rambuteau…)

Ce quartier s'est développé sur un ancien marais drainé à partir du XVIe siècle seulement. Les Templiers s'y étaient installés au XIIIe siècle mais leur enclos fermé de remparts n'avait pas survécu à l'anéantissement de l'ordre en 1307. Philippe-Auguste l'intégra dans les murs de sa capitale et en 1358, après que la foule eut envahi la Conciergerie, le futur Charles V vécut un temps dans l'hôtel Saint-Pol, aujourd'hui démoli.

Le quartier ne commence à prendre son essor qu'au début du XVIIe siècle, lorsque Henri IV fait ouvrir la **place des Vosges** en 1605. Appelée à l'origine place Royale, elle fut rebaptisée par Napoléon pour honorer le premier département de France à payer ses impôts ! Cette élégante et assez austère place carrée est bordée de chaque côté par neuf hôtels identiques en pierre et brique, deux pavillons plus élevés marquant les passages du roi et de la reine qui se font face. Les arcades abritent aujourd'hui des boutiques d'antiquaires et de mode ainsi que d'agréables restaurants. La place fut un lieu de promenade et de duel populaire jusqu'à ce qu'un jardin y soit créé en 1685.

Henri IV

Né en 1553, fils du duc de Vendôme et de la reine de Navarre, il se fait connaître comme commandant en chef des armées huguenotes pendant les guerres de religion. Son mariage avec Marguerite de Valois en 1572, sœur de Charles IX, arrangé pour établir la paix sert en fait de signal à la Saint-Barthélemy, organisée par sa belle-mère, Catherine de Médicis. En juillet 1593, Henri se convertit au catholicisme pour accéder à la couronne de France, et aurait dit : « Paris vaut bien une messe. » Son cœur resta fidèle à ses coreligionnaires et il signera l'édit de Nantes en 1598 pour leur garantir la liberté de culte.

Il épouse en secondes noces Marie de Médicis (1600), qui lui donne un fils, Louis XIII, mais le couple mène des vies séparées et connaît de multiples liaisons. Henri est assassiné en 1610 par Ravaillac un jésuite fanatique. Il est considéré encore aujourd'hui – et avec affection – comme l'un des plus libéraux et des plus efficaces monarques français.

Une statue équestre de Louis XIII observe l'ordre rigoureux des façades de la place des Vosges, dessinée par son père, Henri IV.

Cette boulangerie de la communauté juive se trouve au même endroit depuis sept siècles.

Richelieu vécut au n° 21, et au n° 6 se trouve la maison de Victor Hugo ; l'écrivain ayant habité le 2e étage de l'hôtel Rohan-Guéméné de 1832 à 1848.

Tout autour de cette place « lancée » par le souverain, s'installèrent les riches familles aristocratiques et les grands financiers. Le Marais est un harmonieux ensemble de petites rues et de placettes, qui possède encore une centaine d'hôtels particuliers des XVIIe et XVIIIe siècles. Après bien des vicissitudes, il a survécu par miracle aux bulldozers de l'après-guerre et est aujourd'hui un secteur protégé plein de charme et de caractère.

Le **musée Carnavalet**, *23 rue de Sévigné, IIIe*, est logé dans l'hôtel Carnavalet, construit en 1545, mais profondément modifié par Mansart en 1655-1661. Dans la cour, se dresse une magnifique statue de Louis XIV par Coysevox. Le musée est consacré à l'histoire de Paris à travers les arts. Il est censé suivre un ordre chronologique, mais ressemble surtout à un labyrinthe dans lequel il est difficile de se repérer. Il expose des pièces entières, dont une partie des appartements de Madame de Sévigné, l'un des précédents propriétaires, la chambre de Marcel Proust, la boutique Art nouveau du bijoutier Fouquet, et la salle de bal de l'hôtel Wendel décorée à fresque par José María Sert (1924). À voir également, une maquette de Paris en 1527, une autre de la Bastille sculptée dans une de ses pierres (souvenir lucratif datant de l'époque), une guillotine-jouet, et la salle des enseignes de boutiques. Des tableaux et des gravures présentent la plupart des personnalités parisiennes et des grands événements de l'histoire de la ville.

Le **musée Picasso**, *5 rue de Thorigny, IIIe*, est installé dans l'hôtel Salé, construit en 1656 par Jean Boullier, qui avait fait fortune grâce à l'impôt sur le sel. À l'intérieur, se

PROMENADE DANS LE MARAIS

Commencez au métro Saint-Paul. Prenez la rue Saint-Antoine, à droite, passez l'église de Saint-Paul-Saint-Louis et l'hôtel Sully. Tournez à gauche rue de Birague pour accéder à la place des Vosges. Traversez-la et prenez la rue des Francs-Bourgeois à gauche, puis à droite la rue de Sévigné, le long du musée Carnavalet, et à gauche rue du Parc-Royal. À droite, rue de Thorigny, se trouve le musée Picasso. Continuez tout droit. La rue devient celle des Quatre-Fils. Tournez à gauche rue des Archives et à gauche encore, de nouveau rue des Francs-Bourgeois. Prenez la rue Pavée, à droite, pour vous retrouver rue Saint-Antoine.

trouve une superbe collection d'œuvres du grand Pablo (1881-1973), donnée à l'État en règlement de ses droits de succession. Peu d'œuvres majeures mais toutes les périodes sont représentées à travers 200 peintures, 3 000 dessins et gravures, et tous les supports, de la céramique aux manuscrits illustrés. Un jardin de sculptures, une salle audiovisuelle et une galerie réservée aux collections personnelles du peintre avec des œuvres de Braque, Cézanne, Matisse et Rousseau, complètent une intéressante visite.

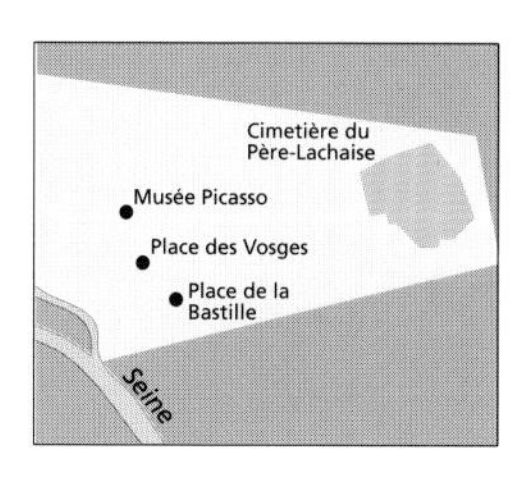

Ernest Cognacq, riche fondateur du grand magasin de la Samaritaine (*voir* p. 39), et son épouse Marie-Louise Jay étaient des amateurs passionnés de l'art du XVIIIe siècle. Leur collection personnelle forme l'essentiel du délicieux **musée Cognacq-Jay**, *hôtel Donon, 8 rue Elzévir, IIIe*, consacré à ce grand moment de l'art français. Des œuvres de Canaletto, Fragonard et Boucher ajoutent à l'intérêt de la visite.

Plusieurs autres petits musées ont été aménagés dans des hôtels dont l'architecture à elle seule vaut le coup d'œil. Le **musée Kwok-On**, *41 rue des Francs-Bourgeois, IVe*, possède une collection fascinante sur le théâtre et les spectacles de rue orientaux (poupées, costumes, masques). Le **musée national des Techniques**, dans l'ancienne église de Saint-Martin-des-Champs, *292 rue Saint-Martin, IIIe (métro : Arts-et-métiers, Strasbourg-Saint-Denis)* retrace le développement de la science et des technologies du XVIe au XXe siècle. Le **musée de l'Histoire de France** est installé dans le complexe des Archives nationales qui englobe deux des plus beaux bâtiments du Marais, l'hôtel de Soubise (1554, reconstruit en 1705), *60 rue des Francs-Bourgeois*, et l'hôtel de Rohan (1705), *87 rue Vieille-du-Temple, IIIe*. Le **musée de la Chasse et de la Nature**, hôtel de Guénégaud (vers 1650), *60 rue des Archives, IIIe*, possède des animaux empaillés et des tableaux sur la chasse. Le **musée de l'Histoire de la serrurerie**, hôtel Libéral-Bruant (1685), *1 rue de la Perle, IIIe*, expose des serrures de l'époque romaine à nos jours. La **bibliothèque historique de la Ville de Paris** occupe l'hôtel de Lamoignon (1518 et 1718), *24 rue Pavée, IVe*. Le **pavillon de l'Arsenal** (1564), *1-3 rue de Sully, IVe*, organise des expositions temporaires sur l'histoire de l'urbanisme parisien.

MORTELLE PROTESTATION

En 1627, Richelieu interdit le duel. Le 12 mai six jeunes nobles se livrent à un duel de protestation sous ses fenêtres, 21, place des Vosges. Le comte de Montmorency, de la Berthe et des Chapelles s'opposent aux marquis de Beuvron, de Bussy d'Amboise et de Buquet. Bussy fut tué. La Berthe blessé, et Beuvron et Buquet s'enfuirent en Angleterre. Montmorency et des Chapelles n'eurent pas la même chance. Arrêtés, il furent décapités place de Grève.

Pour terminer, admirez deux dernières belles demeures, la **maison de Jacques Cœur** (vers 1440), à l'intéressante façade de brique, *40 rue du Temple, IVe*, édifiée par le financier de Charles VII et l'une des plus anciennes maisons de Paris. Emprisonné pour avoir fait empoisonner une maîtresse du roi, Cœur fut dépouillé de tous ses biens. Son innocence fut reconnue un an près sa mort en exil, en 1457. L'**hôtel de Beauvais** (1657), *68 rue François Miron, IVe*, a été construit par Catherine Bellier, une servante anoblie par Marie de Médicis pour ses talents très particuliers d'aide médicale et sa participation au déniaisage du fils de la reine. Parmi les autres belles demeures, voir l'**hôtel des ambassadeurs de Hollande** (1655) également appelé Amelot de Bisseuil, *47 rue Vieille-du-Temple, IIIe* ; l'**hôtel d'Aumont** (1645), *7 rue de Jouy, IVe* ; la **maison de Jean Herouët** (1510), *54 rue Vieille-du-Temple, IIIe*, et l'**hôtel de Sens** (1475-1507), *1 rue du Figuier, IVe*.

Depuis le XIIIe siècle, le Marais est également le quartier de la communauté juive, centrée autour de la **rue des Rosiers.** Une nouvelle vague d'immigration, surtout de juifs séfarades d'Afrique du Nord, a revitalisé le quartier depuis les années 1960, et l'on trouve plusieurs synagogues et de bons restaurants casher. Le **Mémorial du martyr juif inconnu**, *17 rue Geoffroy-l'Asnier, IVe*, dispose d'un petit musée sur les persécutions nazies. Une flamme éternelle y brûle en souvenir des victimes de l'Holocauste.

Le portail d'entrée de l'hôtel de Sully. Sa façade a été restaurée à l'identique (XVIIe siècle).

La **rue Saint-Antoine,** la plus large rue du quartier, est le prolongement de la rue de Rivoli, ce qui en faisait jadis un lieu privilégié

Forteresse à sa façon, l'Opéra Bastille a été construit pour la commémoration de la prise de la Bastille en 1789 afin d'enrichir l'équipement culturel de la capitale.

des joutes. En 1559, le capitaine de la garde écossaise, Montgomery blessa mortellement Henri II lors d'un tournoi donné pour célébrer le mariage de la fille d'Henri à Philippe II d'Espagne. Montgomery s'enfuit, et le roi mourut dix jours plus tard à l'hôtel des Tournelles. Sa veuve, Catherine de Médicis, rasa le bâtiment et 15 ans plus tard, fit capturer et exécuter Montgomery dès qu'il remit le pied sur le sol français. **L'église Saint-Paul-Saint-Louis** est l'œuvre des jésuites (1641). Jadis aussi luxueuse à l'intérieur qu'à l'extérieur, elle a perdu son superbe mobilier sous la Révolution et semble un peu vide depuis. Le magnifique **hôtel de Sully** (construit de 1625 à 1630), au

SAINT-GERVAIS-SAINT-PROTAIS

À l'angle de la rue François-Miron, sur l'ancien tracé d'une voie romaine entre Paris et Senlis, s'élève l'église Saint-Gervais-Saint-Protais, dédiée à deux martyrs romains. À l'emplacement d'une chapelle du VIe siècle, le bâtiment actuel date du XVIe. Sa façade reprend les trois ordres de l'architecture classique – dorique, ionique et corinthien – tandis que l'intérieur est gothique. L'église est surtout connue pour ses liens avec l'histoire de la musique et plusieurs membres de la famille Couperin y furent organistes tout au long d'une période de 170 ans, dont François Couperin (1668-1733). La place Saint-Gervais est également notable pour ses ormes sous lesquels la justice était rendue au Moyen Âge.

LETTRE DE CACHET

L'histoire de la Bastille est aussi celle des lettres de cachet. Les rois signaient en blanc ces ordres d'arrestation. Celui qui en obtenait une pouvait faire enfermer indéfiniment son ennemi à la Bastille, sans procès. Fouquet, Cagliostro, Voltaire, le marquis de Sade et l'énigmatique Masque de fer avaient été victimes de ce système aboli en 1784.

62, est le siège de la Caisse nationale des monuments historiques et des sites, possède une bonne librairie et une intéressante galerie de photographie.

LA BASTILLE

Il ne reste pas la moindre trace de la Bastille si ce n'est son contour gravé sur le pavement de la place *(métro : Bastille)* et quelques pierres des fondations, visibles du quai du métro (ligne 5). Élevée en 1367-1382 pour protéger la porte Saint-Antoine des Anglais, la forteresse se transforma peu à peu en un énorme château garni de huit tours. Malgré cela, il fut enlevé six fois en sept sièges. Transformé en prison – essentiellement pour enfermer ceux qui avaient offensé le roi – il n'était pas aussi sinistre que la Conciergerie ou le Châtelet. Ses riches « pensionnaires » disposaient de pièces meublées, de bons repas et de leurs propres serviteurs. Ironiquement, le gouvernement avait donné l'ordre de détruire la forteresse deux semaines avant que la foule parisienne ne s'en charge, le 14 juillet 1789. Seuls sept prisonniers s'y trouvaient alors, et un seul d'entre eux pour des raisons politiques. Le citoyen Palloy, chargé de la démolition, fit fortune en revendant ses pierres comme matériaux de construction ou sculptées en forme de petites Bastilles-souvenirs. La clef de la Bastille fut offerte au président américain George Washington.

Le projet de Napoléon d'ériger un éléphant de bronze de 6 m de haut sur la nouvelle place fut abandonné, mais son socle servit à ériger la **colonne de Juillet** en souvenir des victimes des Trois Glorieuses de la révolution de 1830. Le Génie de la Liberté ailée qui la surmonte figure actuellement sur la pièce de 10 F.

Le massif **Opéra Bastille**, conçu par Carlos Ott, architecte canado-uruguayen, a ouvert en 1989 pour le bicentenaire de la Révolution. Après quelques difficultés initiales il participe à la résurrection d'un quartier naguère en déshérence.

Ci-contre : *de l'affreuse prison de la Bastille, ne reste qu'un contour sur la place. Elle a été remplacée par la colonne de Juillet (1830) et l'Opéra.*

Le cimetière du Père-Lachaise **

(Métro : Père-Lachaise, Philippe-Auguste)

Portant le nom du confesseur de Louis XIV et fondé en

1804, c'est le plus vaste et le plus intéressant des cimetières parisiens. Il compte un grand nombre d'hôtes célèbres. De nombreuses tombes sont de vrais petits monuments qui en font un musée de sculpture en plein air. Une carte disponible à l'entrée donne les « adresses » de La Fontaine, Molière, Beaumarchais, Colette, Proust, Balzac, Hugo, Oscar Wilde, Chopin, Gabriel Fauré, Rossini, Bizet, Édith Piaf, Jim Morrison. Les amateurs d'art y retrouveront Corot, Bellini, David, Modigliani et Delacroix, d'autres y rechercheront Sarah Bernhardt, Simone Signoret et Yves Montand ou Isadora Duncan. Le baron Haussmann, le maréchal Ney, Abélard et Héloïse y ont trouvé refuge.

Ce fut aussi l'un des derniers points de résistance de la Commune de Paris le 28 mai 1871. Beaucoup de communards moururent lors de ces combats et 147 survivants furent fusillés contre le mur des Fédérés, dans la partie sud-est. Ils ont été enterrés où ils sont tombés, dans une fosse commune toujours fleurie.

On y trouve également un mémorial aux victimes des camps de concentrations nazis et aux martyrs de la Résistance.

Abélard et Héloïse

Brillant philosophe et théologien du XIIe siècle, Pierre Abélard (1079-1142) tombe amoureux de son élève, Héloïse, la belle nièce de son logeur, le chanoine Fulbert. Il la séduit et l'épouse en secret, mais lorsqu'elle tombe enceinte, l'oncle furieux fait émasculer Abélard. Ce dernier se retire dans un monastère à Saint-Denis, tandis qu'Héloïse prend le voile à Argenteuil. Plus tard, il fondera le monastère du Paraclet près de Nogent-sur-Seine, où Héloïse deviendra abbesse et se retirera à Saint-Gildas-de-Rhuys, où il sera abbé. Le couple ne se revit jamais de son vivant, mais est enterré au cimetière du Père-Lachaise.

4
Montmartre et le Nord-Est

MONTMARTRE ***

(métro : Anvers ; pour le funiculaire : Abbesses, Lamarck-Caulaincourt)

Lieu d'un culte solaire préhistorique, dédié à Mercure par les Romains, la colline de Montmartre (129 m de haut) doit son nom au martyre qu'y subit saint Denis en 262 (*voir* p. 99). C'est le plus haut point de Paris, que l'on appelle aussi tout simplement « la Butte ». Des escaliers de la basilique, la vue est superbe.

Jusqu'à ce qu'Haussmann l'intègre dans les fortifications, Montmartre resta longtemps un petit village paisible. Henri IV y avait établi son artillerie pendant le siège de la capitale, et les Cosaques l'occupèrent en 1814, après la chute de l'Empire. En 1871, la garde nationale s'y réfugia et proclama la Commune de Paris (*voir* p. 14) qui allait provoquer la mort de 20 000 personnes et d'immenses destructions.

En 1673-1689, une nonne du village eut plusieurs visions du Christ qui lui demanda d'édifier une église. Pendant la guerre franco-prussienne de 1870, deux hommes d'affaires firent le vœu de construire un sanctuaire si la France était épargnée. L'église fut achevée en 1910 et consacrée en 1919. L'énorme dôme en pain de sucre de la **basilique du Sacré-Cœur** domine aujourd'hui le panorama parisien. L'architecte Paul Abadie, qui aimait les coupoles byzantines, se laissa aller à son imagination et a réussi une bizarrerie architecturale décriée par les critiques, mais adorée par les partisans de l'éclectisme fin de siècle. À l'intérieur, l'immense mosaïque de Luc-

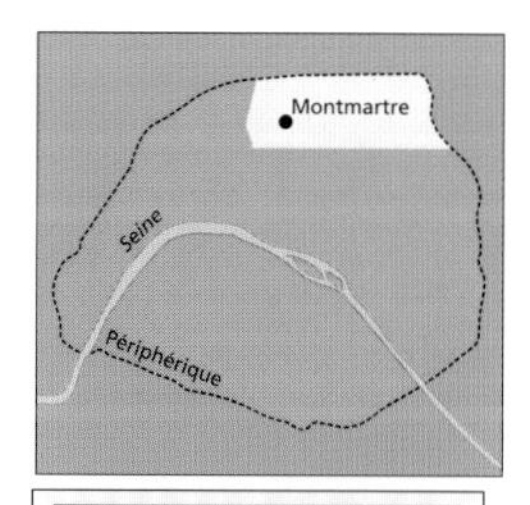

PROMENADE MONTMARTROISE

Commencez en haut du funiculaire, visitez la basilique, puis descendez devant Saint-Pierre, tournez à gauche, puis à droite, rue du Mont-Cenis. Prenez la première à gauche, puis à droite, rue des Saules, que vous descendez jusqu'au musée d'Art juif. Revenez sur vos pas jusqu'au sommet, place du Tertre. De là, descendez la rue Lepic. En partie inférieure, elle croise la rue des Abbesses qui mène sur la place du même nom, où se trouve le métro.

Ci-contre : *éclatante de blancheur, la basilique du Sacré-Cœur a été construite par souscription après un vœu remontant à la guerre de 1870.*

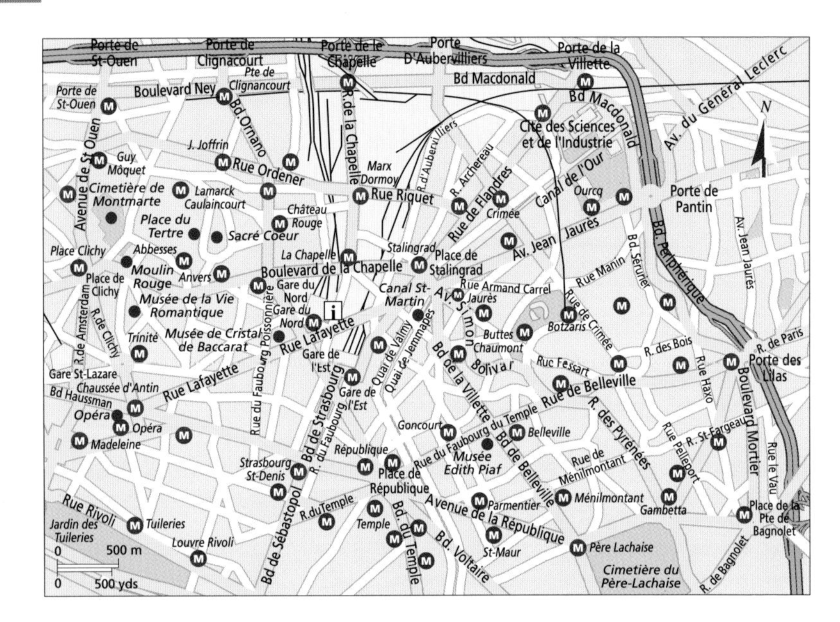

> **Histoires de toiles**
>
> Trois artistes surtout sont associés à l'histoire de Montmartre. Maurice Utrillo (1883-1955), fils illégitime de l'artiste peintre Suzanne Valadon, a été élevé dans la bohème montmartroise. Alcoolique et dépressif, il peignait des rues désertes non dénuées d'émotion. Henri de Toulouse-Lautrec (1864-1901) était fasciné par les vedettes de music-hall dont il créait les affiches, les danseuses de cancan, les artistes de cirque et les serveuses. Francisque Poulbot (1879-1946) est le père d'innombrables tableautins d'enfants de la balle aussi populaires que complaisants.

Olivier Merson se développe au-dessus de l'autel, avec un Christ, bras sur les hanches, dominant les héros de la France à ses pieds. Depuis le 1er août 1885, sans exception, des fidèles se relayent chaque heure pour prier pour le pardon des péchés des communards.

Fondée par Louis VI et la reine Adelaïde de Savoie (qui en fut la première abbesse) en 1133, l'**église Saint-Pierre-de-Montmartre**, *place Saint-Pierre,* semble naine à côté de la basilique. Elle possède quelques beaux chapiteaux romans, une façade du XVIIIe siècle et des vitraux du XXe.

Mais pour la plupart des visiteurs, la gloire de Montmartre tient à son passé artistique. Les artistes commencèrent à s'y installer vers 1840, attirés par les environs pittoresques, la lumière dorée et la faiblesse des loyers. S'ils vécurent pour la plupart grâce aux soupes populaires – Puccini y a trouvé l'inspiration de sa *Bohème* – ils firent preuve d'un génie à l'origine d'une légende qui attire toujours des millions de touristes. Vers 1920, les loyers augmentèrent, et les artistes se réfugièrent du côté de Montparnasse.

Les terrasses aux barnums de couleur vive des cafés de la place du Tertre, presque au pied du Sacré-Coeur, sont le lieu idéal de prospection des artistes de portraits-souvenirs.

Le centre du village – la **place du Tertre** – est aujourd'hui envahie par une foule d'artistes de trottoir (qui ont droit à deux chevalets au m^2) et de touristes curieux. L'atmosphère est amusante mais l'art d'une qualité moyenne, et les nombreux cafés et restaurants pratiquent des prix injustifiés. **La Mère Catherine**, fondé en 1793, aurait déjà existé lorsque les Cosaques lancèrent le terme de bistrot (*voir* p. 28). Non loin, le caverneux **Espace Montmartre Salvador-Dali,** *rue Poulbot, XVIIIe*, possède une superbe collection bien présentée de 330 peintures, dessins et sculptures du maître surréaliste.

Plusieurs des gloires locales, dont Renoir, Van Gogh, Dufy, Suzanne Valadon et Utrillo vécurent au *12 rue Cortot, XVIIIe*, aujourd'hui siège du **musée du Vieux-Montmartre,** consacré à l'histoire et à la vie artistique de la colline, avec photos anciennes, cartes, plans, affiches de Toulouse-Lautrec et nombreux souvenirs de l'époque de la bohème.

Le **Lapin agile,** *4 rue des Saules, XVIIIe*, était un célèbre cabaret, qui entra dans la légende grâce à Aristide Bruant, Utrillo, Picasso, Braque, Apollinaire... Il tire son nom d'une amusante enseigne montrant un lapin qui bondit

À NE PAS MANQUER

*** **Sacré-Cœur :** basilique disproportionnée dont le dôme offre un point de vue magnifique.
*** **Les rues et cafés de Montmartre.**
*** **La Cité des sciences :** hommage de Paris aux sciences et technologies.

hors d'une casserole, peinte par André Gil. Un peu plus loin, la dernière vigne de Paris a été replantée en 1929. Elle est vendangée à l'occasion d'une grande fête le premier samedi d'octobre et donne un gamay très quelconque, le Clos de Montmartre, vendu au profit des personnes âgées du quartier. Au *42 rue des Saules, XVIIIe*, le **musée d'Art juif** expose une collection d'art séculier et religieux du monde entier, dont une maquette de synagogue de Lituanie et de Pologne et une bible illustrée par Chagall.

La très longue **rue Lepic** est un parcours agréable pour accéder au sommet de la colline. Au 77, le souvent reproduit **Moulin de la Galette** (1622) est l'un des deux derniers moulins à vent conservés, sur les 30 du temps jadis. En 1814, les Cosaques crucifièrent le meunier sur l'une de ses ailes, ce qui détermina sa famille à abandonner cette activité. À la fin du XIXe siècle, son propriétaire eut l'idée d'ouvrir un bal et de restaurer ses clients de galettes.

Pigalle est surtout connu pour ses activités nocturnes, centrées autour du fameux **Moulin-Rouge,** *82 boulevard de Clichy, XVIIIe*, ouvert en 1885 et toujours en forme. Les rues avoisinantes sont le terrain de chasse de prostituées et de boîtes pour tous les goûts. Les jeunes femmes seules devraient éviter le quartier après une certaine heure. L'église de **Saint-Jean-l'Évangéliste,** parée de briques et de tuiles turquoise, *place des Abbesses, XVIIIe*, a été dessinée par Anatole de Baudot (1899) et fut la première, en France, a être construite en béton. La **cha-**

À gauche : *célèbre depuis la fin du siècle dernier, le Moulin-Rouge a été peint par Toulouse-Lautrec.*

Ci-contre, en haut : *enseigne de café.*

Ci-contre, en bas : *le charme pittoresque du Lapin agile dissimule une tradition chansonnière à la poésie équivoque.*

pelle du Martyre, *9 rue Yvonne le Tac, XVIIIe*, est la dernière d'une succession d'édifices élevés sur les lieux du martyre de saint Denis. En 1534, Ignace de Loyola y fonda dans la crypte la Société de Jésus. Le **musée d'Art naïf Max-Fourny**, *Halle Saint-Pierre, 2 rue Ronsard, XVIIIe*, possède une roborative collection d'art naïf et propose des ateliers de peinture aux enfants.

Le **cimetière de Montmartre,** *20 avenue Rachel, XVIIIe (métro : Place de Clichy)* est l'un des grands cimetières de l'époque romantique. Il réunit les tombes de Stendhal, Zola, Dumas jeune, Fragonard, Berlioz, Degas, Nijinsky, Delibes, Offenbach, François Truffaut et Alphonsine Plessis, c'est-à-dire la Dame aux camélias.

Parmi les autres musées du quartier, le **musée Édith-Piaf,** *5 rue Crespin-du-Gast, XIe (métro : Ménilmontant)*. Merveilleuse chanteuse, « le petit moineau » (1915-1963) était né sur le trottoir et devint l'une des stars des années 1950. Ouvert aussi sur rendez-vous (tél. 01 43 55 52 72). Le **musée de la Vie romantique,** *16 rue Chaptal, IXe (métro : Saint-Georges, Blanche)* présente des souvenirs de George Sand, de sa famille et de son cercle dans un intérieur bourgeois typique du XIXe siècle. Le **musée du Cristal de Baccarat,** *30 bis rue de Paradis, IXe (métro : Gare de l'Est)* est la vitrine d'une des plus célèbres cristalleries du monde, fondée en 1764.

En 1863, l'ingénieur Jean-Charles Alphand réhabilite un quartier de terrains vagues en créant le **parc des Buttes-Chaumont,** *rue Manin (métro : Botzaris, Buttes-Chaumont).*

Architecture

La place des Abbesses est un petit monument à deux personnages typiquement parisiens bien que peu connus. Le nom de la place rappelle le couvent des Bénédictines qui y était jadis établi. La superbe entrée arachnéenne du métro est un des rares exemples survivants des réalisations de l'architecte Art nouveau Hector Guimard (1867-1942). La petite fontaine de fonte est l'un des édicules offerts par le philanthrope anglais Richard Wallace (1818-1890), qui anima deux hôpitaux de campagne et plusieurs cantines pendant le siège de 1870.

Le bassin de la Villette relie divers canaux et donne sur la Seine via le canal Saint-Martin.

PARC DE LA VILLETTE ★★★

Métro : Porte de Pantin

Pendant plus d'un siècle ce quartier a été occupé par de nombreux bistrots et les abattoirs. Dans les années 1960, on y construisit le plus grand abattoir du monde, abandonné au bout de quelques mois pour de sombres raisons de planification administrative. Les bâtiments et leurs abords (55 ha) ont été transformés par l'architecte Adrien Fainsilber en une des plus passionnantes attractions culturelles de Paris.

Le moyen le plus original de s'y rendre est le bateau, qui relie la Seine au bassin de la Villette par le **canal Saint-Martin** et poursuit sur Saint-Denis. Le canal a été creusé de 1822 à 1825 pour le transport des marchandises et coule en souterrain sur 2 km. Au sud, se dresse la charmante **rotonde de la Villette** (1784).

L'abattoir lui-même est aujourd'hui la très high-tech **Cité des sciences et de l'industrie,** musée interactif dernier cri conçu pour tous les âges, où même les plus rebelles à la technologie peuvent se laisser séduire pendant quelques heures. La Cité accueille de très nombreux visiteurs depuis son ouverture le 13 mars 1986. La principale attraction, **Explora**, est une exposition permanente sur l'espace, les océans, l'environnement, l'agronomie, les biotechnologies, le langage et la communication, les mathématiques, le son, la lumière, l'énergie, la santé et le corps humain, les ordinateurs, la terre, la mer et les étoiles. Une serre hors sol et un bombardier supersonique sont suspendus dans les poutres, et une Cité des enfants (de 3 à 12 ans) leur propose des activités éducatives. À l'intérieur d'Explora se trouve aussi un **planétarium** et un **cinéma Louis-Lumière** en trois dimensions. À l'extérieur, la Géode, énorme sphère composée de 6 433 triangles d'acier inox, abrite un écran de cinéma hémisphérique de 1 000 m^2. Le système **Cinaxe**, grâce à la

LE PETIT PIAF

La chanteuse Édith Piaf (1915-1963) vécut une enfance misérable et gagna sa vie dès son plus jeune âge en chantant dans les rues. Sa petite taille lui a attiré le surnom de « piaf » (moineau). Sa simple robe noire, sa voix rauque et des chansons comme *Je ne regrette rien* ou *La Vie en rose* lui ont valu une réputation internationale. Elle est enterrée au cimetière du Père-Lachaise.

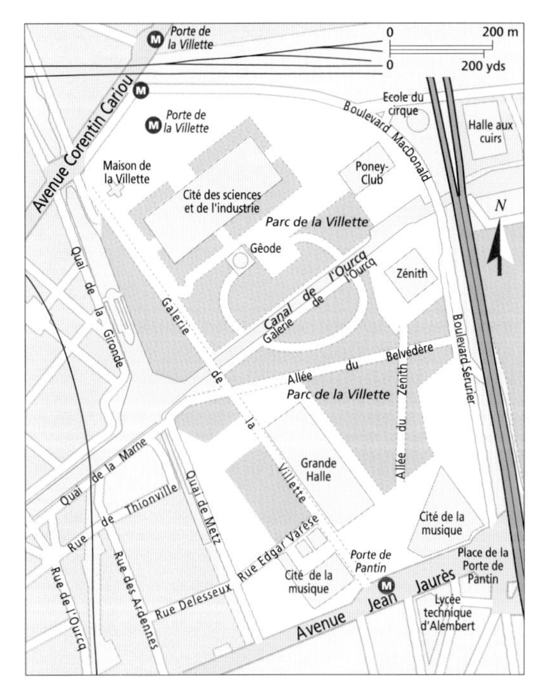

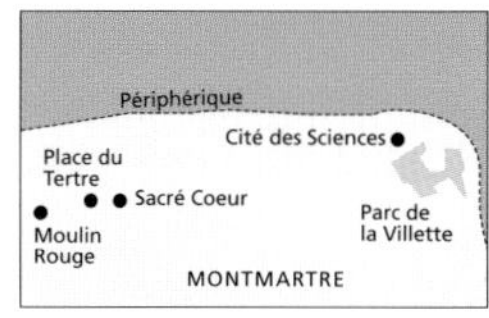

simulation, vous met dans la situation d'un pilote d'avion à l'entraînement. À l'autre extrémité du parc, la **Cité de la musique,** siège du Conservatoire national de musique propose un superbe auditorium et un très moderne **musée des Instruments de musique**. On trouve également à côté un théâtre et la Grande Halle (concerts, expositions, salons).

Parmi les autres attractions du parc, ponctué de « folies » rouge vif, un **aquarium** et même un sousmarin de 1957, l'**Argonaute**, et le **Zénith,** une énorme salle de 6 000 places pour les concerts pop.

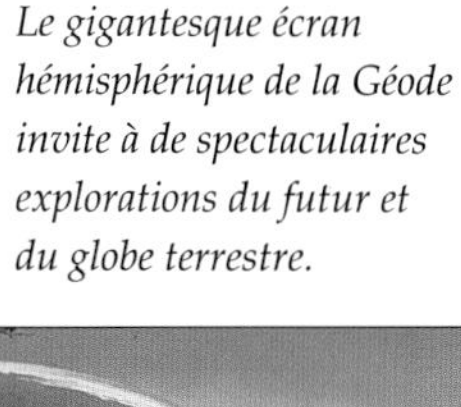
Le gigantesque écran hémisphérique de la Géode invite à de spectaculaires explorations du futur et du globe terrestre.

PAVILLON

5
Le Louvre et l'Opéra

Le Louvre ***

(métro : Louvre-Rivoli, Palais-Royal)

Le Louvre n'est pas seulement l'un des plus grands musées mais aussi le plus grand palais royal du monde. Prévoyez beaucoup de temps, des chaussures confortables et n'essayez surtout pas de tout voir. Votre marathon pourrait s'étendre sur 32 km !

Philippe Auguste édifia une forteresse à cet endroit en 1200 et, depuis, de nombreux rois et reines ont agrandi cet immense labyrinthe d'appartements palatiaux et de cours.

Autour de la cour Napoléon, se développent l'aile Richelieu (nord), l'aile Denon (sud) et l'aile Sully (est) qui ferme la cour carrée, elle-même s'achevant sur la colonnade de Perrault (XVIIe siècle). Il reste des traces des premières fortifications dans les sous-sols. Dans l'axe de la pyramide, s'ouvrent le jardin du Carrousel et celui des Tuileries.

Cette pyramide a été ajoutée en 1988 par l'architecte I. M. Pei qui en a fait la nouvelle entrée principale du musée. Du hall Napoléon, des escalators mènent aux diverses ailes. Un plan gratuit en couleurs vous permet de vous orienter dans la découverte des innombrables chefs-d'œuvre.

Le bleu est la couleur du rez-de-chaussée, le rouge, du premier étage, le jaune, du second. Les pièces majeures sont toujours entourées d'une foule impressionnante, mais de nombreuses salles, tout aussi passionnantes, sont presque vides.

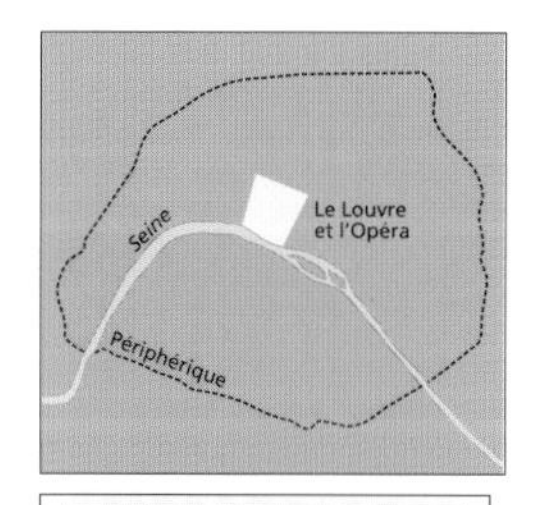

Le grand axe historique

Cette voie triomphale qui part du cœur de Paris a été imaginée au XVIIe siècle par l'architecte des jardins, Le Nôtre. Cet axe part de la cour du Louvre, passe sous l'arc du Carrousel (25 m de haut),traverse la Concorde, monte les Champs-Élysées, file sous l'Arc de Triomphe (50 m de haut), et redescend vers la Grande Arche de la Défense (100 m de haut). Sa longueur est de 8 km. La cour du Louvre et la Grande Arche sont décalés de 6° 33′ par rapport à lui.

Ci-contre : *la pyramide de verre de Pei achève la restauration du Grand-Louvre.*

À NE PAS MANQUER

*** **Le Louvre,** impossible d'ignorer le plus grand palais et le plus grand musée du monde.
*** **L'Orangerie,** havre de tranquillité où rêver devant les *Nymphéas* de Monet.

1 Arc de triomphe du Carrousel
2 Pavillon Lesdiguières
3 Pavillon Mollien
4 Cour Lefuel
5 Pavillon Denon
6 Cour Visconti
7 Pavillon Daru
8 Cour du Sphinx
9 Antiquités grecques et romaines
10 Pavillon des Arts
11 Pavillon du Petit Bourbon
12 Antiquités égyptiennes
13 Pavillon de L'Oratoire
14 Antiquités orientales
15 Pavillon Sully
16 Pavillon Colbert
17 Cour de la Poste
18 Cour des Caisses
19 Pavillon Richelieu
20 Cour du Ministre
21 Porte Denon
22 Salle des Caryatides
23 Comédie-Française
24 Musée des Arts de la mode, décoratifs & de la publicité

0 100 m
0 100 yds

Bateaux à louer et à faire voguer sur le grand bassin du jardin des Tuileries.

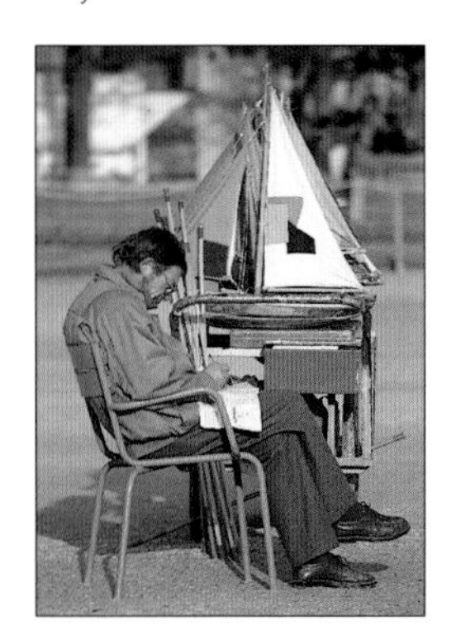

L'œuvre la plus célèbre est *La Joconde*, de Léonard de Vinci que François Ier avait invité à venir travailler en France. De nombreux rois et ministres ont été de grands collectionneurs, et à l'ouverture du musée en 1793, il possédait déjà l'un des plus importants ensembles du monde. Presque tous les grands artistes européens sont représentés.

Parmi les peintures, cherchez à voir *La Nef des fous* (Jérôme Bosch), la *Vierge avec l'Enfant Jésus et sainte Anne,* et la *Vierge au rocher* de Vinci ; la *Vénus et les Grâces* de Botticelli, la *Dentellière* de Vermeer. Dans la cour des sculptures, se trouvent les *Chevaux de Marly* de G. Coustou, qui ornaient jadis la place de la Concorde, et les *Esclaves* de Michel-Ange.

La *Vénus de Milo* (IIe siècle av. J.-C.) achetée à la Grèce en 1820, est le sommet de l'immense collection d'antiques qui couvre les civilisations de Rome, de la Grèce, des Étrusques, de l'Égypte et de plusieurs régions du Moyen-Orient. À voir également le grand *Sphinx* de

Plafond : Jules II ordonnant les travaux du Vatican et de Saint-Pierre à Bramante, Michel-Ange et Raphaël.

granit, le *Scribe assis* (Égypte, IVe dynastie, vers 2500 av. J.-C.) et la *Victoire de Samothrace* (vers 190 av. J.-C.).

Le Régent, de 140 carats, appartenant aux joyaux de la Couronne, attire toujours les foules.

Dans le palais sont également logés le **musée de la Mode et du Textile,** *109 rue de Rivoli, Ier*, récemment ouvert aux superbes collections de haute couture et de costumes historiques, et le **musée des Arts décoratifs,** *107 rue de Rivoli, Ier*, spécialisé dans les meubles, le décor, les objets d'art du Moyen Âge à nos jours. À admirer : les pièces reconstituées Art nouveau et Art déco, les 60 000 affiches et les poupées.

L'**arc de triomphe du Carrousel,** élevé par Napoléon à ses victoires, très inspiré de l'arc de Septime Sévère à Rome, était à l'origine surmonté de quatre célèbres chevaux de Saint-Marc de Venise, qui furent restitués en 1815 avec beaucoup d'autres trésors que l'Empereur avait pillés dans toute l'Europe. Au-delà, s'étend le **jardin des Tuileries.** En 1560, Catherine de Médicis acheta une ancienne fabrique de tuiles et fit dessiner les premiers jardins. Ils furent redessinés par Le Nôtre en 1664 et respectent encore aujourd'hui son plan géométrique : petites pelouses, alignements d'arbres identiques, et grandes allées bordées de bancs. Les jardins sont ornés

Les dates du Louvre

1200 Philippe-Auguste construit une première forteresse.
1360 Charles V la transforme en résidence royale.
1527-1546 François Ier la remodèle au goût Renaissance. Les travaux sont supervisés par Lescot, et se poursuivent sous les règnes de Henri II, Charles IX et Henri III.
1563 Catherine de Médicis demande à Philippe Delorme de construire la Galerie du bord de l'eau et le palais des Tuileries. Les travaux se poursuivent jusqu'à la mort de Henri IV en 1610.
1624 Louis XIII édifie le pavillon de l'Horloge.
1659-1670 Louis XIV construit la cour carrée et agrandit les Tuileries.
1805-1815 Napoléon continue l'aile nord jusqu'au pavillon de Marsan.
1852-1870 Napoléon III construit de nouveaux pavillons autour de la cour Napoléon.
1988-1991 Édification de la pyramide de verre, par I. M. Pei.

de nombreuses belles statues, dont quatre de Rodin, mais le point d'attraction reste le grand bassin octogonal où des générations de petits Parisiens ont fait voguer des voiliers, qu'ils peuvent louer sur place. Dominant la place de la Concorde se dressent deux autres musées. L'**Orangerie** *(métro : Concorde)* abrite une excellente petite collection dont des œuvres de Cézanne, Matisse, Renoir, Utrillo, le Douanier Rousseau et Modigliani. En sous-sol, une salle magique a été installée pour recevoir huit des célèbres panneaux des *Nymphéas* de Monet, d'une qualité presque abstraite, montrant la surface d'un étang à différents moments de la journée. En face, le **Jeu**

Le Palais-Royal fut réaménagé au XVIIIe siècle par Philippe d'Orléans.

de Paume se consacre à de grandes expositions temporaires d'art contemporain.

Le **Palais-Royal** *(métro : Palais-Royal)* a été construit en 1624 pour Richelieu. Le cardinal le laissa à Louis XIV, qui l'offrit à son frère, Philippe d'Orléans. Le palais est le siège du Conseil d'État, mais sa merveilleuse cour entourée d'une colonnade et ses jardins bordés de boutiques charmantes sont accessibles.

En 1780, le duc d'Orléans, Philippe Égalité, lotit ses terrains et créa un lieu fort à la mode auprès des élégants, des joueurs et des prostituées. En 1986, après de longues controverses, une colonnade tronquée de marbre noir et blanc a été installée dans la cour par Daniel Buren.

À gauche de l'entrée principale, s'élève le **Théâtre-Français** (1790), *2 rue de Richelieu, Ier*, qui est toujours le siège de la plus prestigieuse des troupes de théâtre, la Comédie-Française (*voir* p. 21). Dans le foyer est exposé le fauteuil dans lequel Molière est mort en scène, en 1673. À l'autre extrémité du palais, s'étendent les bâtiments de la **Bibliothèque nationale,** *52 rue de Richelieu, Ier (métro : Bourse)*, fondée en 1370. Depuis 1537, tout livre publié doit y être déposé. La collection contient plus de 12 millions d'ouvrages. Après son déménagement pour ses nouvelles installations dans le XIIIe arrondissement, la bibliothèque Richelieu devrait être affectée à un centre d'études sur l'art. À l'intérieur, vous pouvez visiter le

PROMENADE

Commencez au métro Palais-Royal, et longez la rue de Rivoli vers l'ouest. Tournez à droite rue de Castiglione, traversez la place Vendôme et continuez la rue de la Paix jusqu'à la place de l'Opéra. Tournez à gauche, boulevard des Capucines qui devient le boulevard de la Madeleine jusqu'à l'église du même nom (*voir* p. 71). Descendez vers la place de la Concorde, tournez dans les jardins des Tuileries, pour revenir vers la cour du Louvre, puis au métro.

Les nombreux cafés, parcs et jardins parisiens sont autant de haltes pour se reposer de l'animation de la ville.

À CHACUN SA STATUE

La première sculpture dressée sur la place Vendôme fut une statue équestre de Louis XIV en empereur romain. Napoléon fit ériger la colonne Vendôme, surmontée d'une statue de lui-même en Jules César. Les Bourbons la fondirent pour un Henri IV équestre, déplacé sur le Pont-Neuf en 1815. Louis XVIII remplaça Napoléon par une fleur de lys, à laquelle Louis-Philippe préféra une statue de l'Empereur en petit caporal, que Napoléon III expédia aux Invalides pour la remplacer par un Napoléon de nouveau en Romain. La colonne fut jetée à bas par les communards en 1871 et reconstruite à leurs frais, avec le Napoleo Imperator d'origine, sous la IIIe République.

Cabinet des médailles et des antiques qui contient les trésor des rois de France, de Saint-Denis et de la Sainte-Chapelle. Tout autour ont été aménagés des passages aux intéressantes boutiques : galeries Colbert, Vivienne, et, plus loin, Vero-Dodat.

L'**église Saint-Roch** (que l'on priait pendant les épidémies de peste), à l'angle de la *rue Saint-Roch* et de la *rue Saint-Honoré, Ier (métro : Tuileries),* a été édifiée en 1653-1730. Les traces de balles sur la façade datent du 5 octobre 1795, lorsque Bonaparte envoya sa troupe mater une émeute royaliste. En récompense, il fut nommé commandant des armées françaises en Italie. À l'intérieur, outre de belles peintures, se trouvent les tombeaux de Le Nôtre et de Corneille.

Constructeur passionné, Louis XIV fit ouvrir deux places royales en plein Paris. La plus grande est la **place Vendôme**, jadis nommée Louis-le-Grand, due à Jules Hardouin-Mansart. Construite entre 1702 et 1720, c'est un somptueux octogone d'un classicisme absolu. Elle doit son nom à l'hôtel Vendôme qui occupait jadis le site. Napoléon fit ériger la **colonne Vendôme** pour commémorer sa victoire d'Austerlitz en 1805. Réplique de la colonne Trajan à Rome, elle mesure 44 m de haut. Sa structure en pierre est recouverte de bas-reliefs de bronze fondus à partir de 1250 canons capturés pendant les batailles. L'ensemble actuel est une copie du modèle d'origine abattu en 1871. L'harmonie de la **place des Victoires,** un peu plus à l'est, a été compromise par les ravages du temps et de la Révolution. Au nord, se trouve la **Bourse**, *place de la Bourse, IIe (métro : Bourse),* bâtiment néo-classique dessiné par Alexandre Brongniart et qui est en fonction depuis 1826.

L'Opéra

Entre 1660 et 1705, Louis XIV fait détruire les remparts de Paris, combler les douves, remplacées par des boulevards qui se transforment en une promenade élégante à partir de 1750. En 1860, Hausmann redessine la ville, crée de nouveaux **grands boulevards** – Capucines, Italiens, Haussmann, Montmartre, Poissonnière, Bonne-Nouvelle, Saint-Denis, Saint-Martin, Temple, Filles-du-

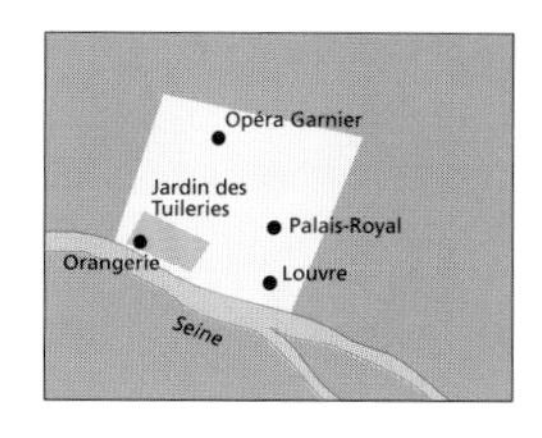

Calvaire et Beaumarchais – qui deviennent les artères commerciales à la mode, avec les deux célèbres grands magasins des Galeries Lafayette au superbe décor Art nouveau, et du Printemps *(métro : Havre-Caumartin)*. Le **musée Grévin,** *10 boulevard Montmartre, IXe (métro : Montmartre)* est un musée de cire où se retrouvent toutes les célébrités de l'histoire et de la France d'aujourd'hui.

C'est sur la place de l'Opéra que se dresse l'opulent **Opéra Garnier** (du nom de son architecte) construit sous Napoléon III. La première pierre fut posée en 1862, après deux années de lutte contre les infiltrations d'eau de la nappe phréatique qui entravèrent le travail de fondation. C'est sous la présidence de Mac-Mahon qu'il fut enfin inauguré en 1875.

Il mélange de multiples styles, avec une foule de bustes de musiciens, des colonnes classiques et des statues baroques. Tous les marbres de toutes les carrières de France ont été utilisés, et l'or coule à profusion.

Le surprenant plafond de la salle a été peint par Marc Chagall en 1964. Cet Opéra, aux dimensions impressionnantes, avec une superficie de 11 000 m², ne peut recevoir que 2 200 spectateurs, alors que le Châtelet peut abriter 3 600 personnes.

Le reste est occupé par une énorme scène, d'immenses galeries, et des kilomètres de loges et d'ateliers, qui ont inspiré *Le Fantôme de l'Opéra* de Gaston Leroux. Un charmant musée, récemment modernisé, a été aménagé dans le pavillon impérial.

La superbe verrière centrale des Galeries Lafayette : luxe et emplettes à la parisienne.

6
Le Nord-Ouest : la rive droite

Place de la Concorde **

Cette somptueuse place *(métro : Concorde)* a été conçue à partir de 1755 par Jacques-Ange Gabriel pour Louis XV. C'était à l'origine une promenade, ce qui est difficile à imaginer aujourd'hui tant les embouteillages y règnent. Elle est construite d'un côté seulement, où s'élèvent deux immeubles à colonnades d'une élégance insigne : l'hôtel de la Marine (à droite) et l'un des hôtels les plus luxueux de Paris, l'hôtel Crillon (à gauche). Les Tuileries s'étendent à l'est (*voir* p. 63). À l'ouest, deux copies des chevaux de Marly de Coustou (XVIIIe siècle) marquent l'entrée des Champs-Élysées (les originaux sont au Louvre.)

À chaque angle, une statue représente une des huit grandes villes françaises (à partir du pont, dans le sens des aiguilles d'une montre, Bordeaux, Nantes, Brest, Rouen, Lille, Strasbourg, Lyon et Marseille). Au centre, deux énormes fontaines de bronze de Hittorff (XIXe siècle), qui mettent en scène dieux barbus, sirènes et poissons encadrent l'**obélisque** de Louxor, en granit, offert à la France par Méhémet Ali, gouverneur ottoman d'Égypte, en 1829. Le **pont de la Concorde** a été achevé en 1791, avec des pierres récupérées de la Bastille.

En 1770, pendant les célébrations du mariage du dauphin et de Marie-Antoinette, une tribune s'effondra, provoquant la mort de 133 personnes. La place accueillit la sinistre guillotine pendant une partie de la Révolution. Louis XVI et la reine y furent décapités. Elle reçut son nom de place de la Concorde en signe de réconciliation nationale.

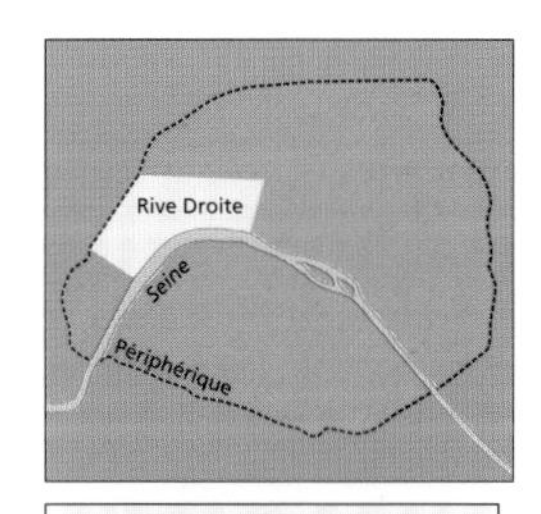

Promenade

Commencez place de la Concorde. Tournez à droite, traversez le cours La Reine et descendez sur le quai, le long des bateaux, jusqu'au pont Alexandre-III. Remontez, prenez l'avenue Winston-Churchill entre le Grand et le Petit Palais et tournez à gauche sur les Champs.
Au Rond-Point, prenez à gauche avenue Montaigne que vous suivez jusqu'au pont de l'Alma (métro et départ des bateaux-mouches). Vous pouvez aussi remonter l'avenue George-V jusqu'aux Champs-Élysées et tourner à gauche vers l'Arc de Triomphe, ou à droite, direction la Concorde.

Ci-contre : *la vaste place de la Concorde, avec ses superbes fontaines.*

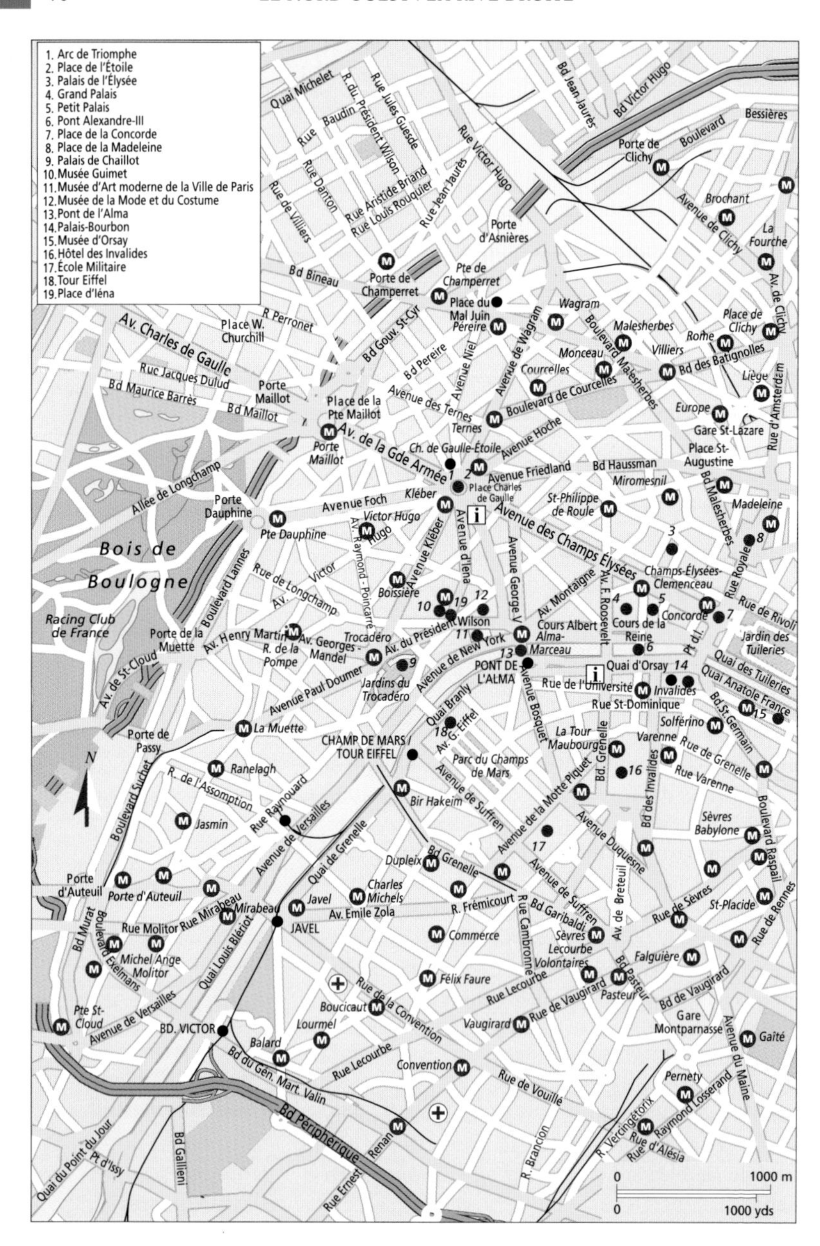
1. Arc de Triomphe
2. Place de l'Étoile
3. Palais de l'Élysée
4. Grand Palais
5. Petit Palais
6. Pont Alexandre-III
7. Place de la Concorde
8. Place de la Madeleine
9. Palais de Chaillot
10. Musée Guimet
11. Musée d'Art moderne de la Ville de Paris
12. Musée de la Mode et du Costume
13. Pont de l'Alma
14. Palais-Bourbon
15. Musée d'Orsay
16. Hôtel des Invalides
17. École Militaire
18. Tour Eiffel
19. Place d'Iéna
Quai Michelet
R. du Président Wilson
Rue Jules Guesde
Bd Jean Jaurès
Bd Victor Hugo
Bessières
Rue Baudin
Rue Victor Hugo
Porte de Clichy
Boulevard
Rue Danton
Rue Aristide Briand
Rue Louis Rouquier
Rue Jean Jaurès
Rue de Villiers
Brochant
Avenue de Clichy
La Fourche
Porte d'Asnières
Bd Bineau
Porte de Champerret
Pte de Champerret
Place du Mal Juin
Pereire
Wagram
Av. de Clichy
R Perronet
Place W. Churchill
Av. Charles de Gaulle
Bd Gouv. St-Cyr
Avenue Niel
Avenue de Wagram
Boulevard Malesherbes
Malesherbes
Place de Clichy
Rome
Villiers
Monceau
Bd des Batignolles
Rue Jacques Dulud
Bd Pereire
Courcelles
Liège
Bd Maurice Barrès
Porte Maillot
Bd Maillot
Place de la Pte Maillot
Avenue des Ternes
Ternes
Boulevard de Courcelles
Europe
Rue d'Amsterdam
Gare St-Lazare
Av. de la Gde Armée
Ch. de Gaulle-Étoile
Avenue Hoche
Place St-Augustine
Allée de Longchamp
Avenue Friedland
Bd Haussman
Miromesnil
Place Charles de Gaulle
Porte Dauphine
Avenue Foch
Kléber
Avenue d'Iéna
St-Philippe de Roule
Bd Malesherbes
Madeleine
Pte Dauphine
Victor Hugo
Av. Victor Hugo
Avenue des Champs Élysées
Bois de Boulogne
Av. Raymond - Poincaré
Avenue Kléber
Avenue George V
Av. Montaigne
Av. F. Roosevelt
Champs-Élysées-Clemenceau
Rue Royale
Boulevard Lannes
Rue de Longchamp
Boissière
Rue de Rivoli
Racing Club de France
Av. Victor
Cours Albert
Cours de la Reine
Concorde
Jardin des Tuileries
Porte de la Muette
Av. Henry Martin
Trocadéro
Av. Georges-Mandel
R. de la Pompe
Av. du Président Wilson
Avenue de New York
Alma-Marceau
Pl. d.l.
Quai des Tuileries
Av. de St-Cloud
Avenue Paul Doumer
Jardins du Trocadéro
PONT DE L'ALMA
Quai d'Orsay
Quai Anatole France
Rue de l'Université
Invalides
Quai Branly
Rue St-Dominique
Bd. St Germain
Porte de Passy
La Muette
Av. G. Eiffel
CHAMP DE MARS / TOUR EIFFEL
Avenue Bosquet
La Tour Maubourg
Solférino
Varenne
Rue de Grenelle
Ranelagh
Parc du Champs de Mars
Bd. Grenelle
Rue Varenne
R. de l'Assomption
Avenue de Suffren
Avenue de la Motte Piquet
Bd des Invalides
Bir Hakeim
Boulevard Suchet
Rue Raynouard
Jasmin
Avenue de Versailles
Sèvres Babylone
Boulevard Raspail
Quai de Grenelle
Avenue Duquesne
Porte d'Auteuil
Dupleix
Bd Grenelle
Avenue de Suffren
Charles Michels
Av. de Breteuil
R. Frémicourt
Rue de Sèvres
St-Placide
Rue Molitor
Rue Mirabeau
Mirabeau
Javel
JAVEL
Av. Emile Zola
Bd Garibaldi
Rue de Rennes
Bd Murat
Boulevard Exelmans
Quai Louis Blériot
Commerce
Rue Cambronne
Sèvres Lecourbe
Michel Ange Molitor
Volontaires
Falguière
Pasteur
Bd Pasteur
Félix Faure
Rue Lecourbe
Rue de Vaugirard
Bd de Vaugirard
Pte St-Cloud
Rue de la Convention
Boucicaut
Gare Montparnasse
Avenue de Versailles
BD. VICTOR
Lourmel
Vaugirard
Gaîté
Balard
Avenue du Maine
Bd du Gén. Mart. Valin
Rue Lecourbe
Convention
Rue de Vouillé
Pernety
Bd Périphérique
Rue Raymond Losserand
Quai du Point du Jour
Renan
R. Vercingétorix
Rue d'Alésia
Pt d'Issy
Bd Galliéni
R. Brancion
Rue Ernest
N
0
1000 m
1000 yds

La **rue Royale,** qui va vers le nord, regroupe quelques-uns des magasins les plus luxueux et les plus exclusifs de Paris : un émerveillement pour les amateurs de lèche-vitrines. Au n° 9, au-dessus de chez Christofle, un petit musée présente 150 ans de l'art de l'argenterie. Place de la Madeleine (*métro : Madeleine*), se dresse l'église de la Madeleine à l'histoire compliquée. Commencée en 1764, ses travaux reprennent en 1777, puis sont abandonnés jusqu'à ce que Napoléon demande à Vignon de construire le bâtiment actuel qui aurait dû être un temple de la gloire. Le classique et sévère extérieur aux 52 colonnes corinthiennes et à frises et métope contraste avec l'opulent intérieur. De nombreuses funérailles importantes s'y déroulent.

Les grands défilés

En 1810, un défilé fut organisé sur les Champs pour saluer le mariage de l'Empereur et de sa seconde épouse, Marie-Louise. L'Arc de Triomphe était encore en construction, et on le masqua derrière une réplique en toile. En 1840, le cercueil de l'Empereur refit le même parcours à son retour de Sainte-Hélène. En 1871, les Allemands y paradèrent, avant les grands défilés des victoires de 1919 et 1944, qui marquèrent la fin des deux grandes guerres. Le défilé du 14 juillet se déroule ici chaque année, ainsi que l'arrivée du Tour de France.

Les Champs-Élysées

En 1667, Louis XIV et Le Nôtre projettent une promenade qui part des Tuileries et se perd dans les champs. Rallongée à plusieurs reprises au cours du siècle suivant, elle devient peu à peu très populaire. Sa transformation en avenue commence lorsque Napoléon décide d'élever l'Arc de Triomphe au sommet de la colline qui la ferme.

Aujourd'hui, les Champs-Élysées sont bordés de bureaux et de magasins, de cinémas, de cafés et n'ont plus rien de champêtre. Seule, la section entre la Concorde et le Rond-Point, très arborée, reste proche de son aspect original.

À droite, le long de l'avenue de Marigny, s'étendent les jardins du palais de l'Élysée. À gauche, l'immense **Grand Palais** et le **Petit Palais,** avenue Winston-Churchill (*métro : Champs-Élysées*) firent sensation par leur audace technique lors de leur inauguration pour

Les Champs-Élysées, qui n'ont plus rien de « champs », sont aussi animés la nuit que le jour.

Chérubin et dauphin sur le pont Alexandre-III.

Petits musées d'art

Atelier-musée Henri Bouchard, 25 rue de l'Yvette, XVIe (métro : Jasmin). Atelier du sculpteur Henri Bouchard (1875-1960).
Musée de Boulogne-Billancourt, 26 avenue André-Morizet, Boulogne (métro : Marcel-Sembat). Dédié aux artistes locaux et à l'architecture.
Musée Dapper, 50 av. Victor-Hugo, XVIe (métro : Victor-Hugo).
Belles expositions temporaires sur l'art africain.
Musée national J.-J. Henner, 43 av. de Villiers, XVIIe (métro : Monceau). Plus de 700 peintures et dessins de Henner (1829-1905).
Musée Gustave-Moreau, 14 rue de La Rochefoucauld, IXe (métro : Trinité). Le peintre symboliste Moreau (1825-1898) vécut et travailla dans ce superbe hôtel particulier, rempli de ses œuvres.

l'Exposition universelle de 1900. Aujourd'hui, le Petit Palais abrite le **musée des Beaux-Arts de la Ville de Paris** et ses belles collections de mobilier, d'objets d'art du Moyen Âge, de la Renaissance et du XVIIIe siècle, ainsi que d'ambitieuses peintures du XIXe siècle. Le Grand Palais, en grande partie fermé, accueille dans une de ses ailes de grandes expositions temporaires. À l'arrière, le **palais de la Découverte**, *av. Franklin-Roosevelt, VIIIe*, a été aménagé lors de l'exposition de 1937. Jusqu'à l'ouverture de la Cité des sciences (*voir* p. 58), il était le seul musée scientifique parisien. Il semble aujourd'hui un peu démodé, mais ses expériences et manipulations attirent encore tout un public scolaire.

Le spectaculaire **pont Alexandre-III,** du nom du tsar qui posa sa première pierre en 1896, a également été construit pour l'exposition de 1900. Il est le plus beau de tous les ponts de Paris, et affiche avec panache son style Belle Époque dans son décor de chérubins, lions, guirlandes de fleurs, d'oiseaux, de coquillages et d'écussons. Toute une colonie de bateaux habités est amarrée à ses berges.

L'**avenue Montaigne** est devenue en quelques années le cœur de la haute couture. La plupart des couturiers s'y sont installés (*voir* p. 121), ainsi que les grands du prêt-à-porter, des parfums et du maquillage qui prospèrent dans le sillage des grands créateurs.

Les Champs-Élysées s'achèvent sur l'**Arc de Triomphe**, commandé en 1806 à Chalgrin par Napoléon (*métro : Charles-de-Gaulle-Étoile, accès par passage souterrain*), pour célébrer ses victoires militaires. De 50 m de haut sur 45 de large, alors que l'arc de Constantin, à Rome, ne mesure que 25 m sur 21, il était encore inachevé à la chute de l'Empire et ne fut terminé qu'en 1836, par Louis-Philippe. En partie basse figurent quatre hauts-reliefs, dont les plus intéressants, vus des Champs-Élysées sont le Départ des volontaires de 1792, de Rude, appelé aussi La Marseillaise (à droite), et le Triomphe de 1810 de Cortot, célébrant le premier traité de Vienne (à gauche). Les frises supérieures illustrent la saga napoléonienne, et l'arche est gravé du nom des 660 généraux et

128 batailles de la période. Dans l'ouverture, se trouve la tombe du Soldat inconnu. Des escaliers et un ascenseur conduisent au sommet qui offre une vue panoramique superbe. À l'intérieur, un petit musée.

En 1854, Haussmann fit partir de l'Arc douze larges avenues, et donna à la place le nom de place de l'Étoile, changé en 1971 en place Charles-de-Gaulle.

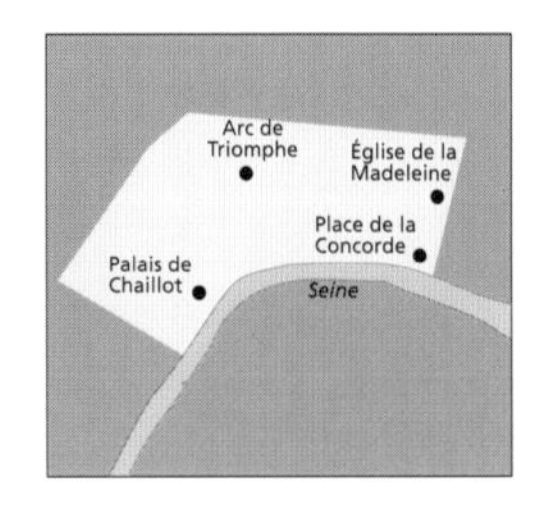

Auteuil et Passy

Une bonne partie de la grande bourgeoisie parisienne vit dans le XVIe arrondissement, tranquille, relativement vert, et protégé. Il possède un grand nombre de musées passionnants.

Le **palais de Chaillot,** *place du Trocadéro (métro : Trocadéro)* a été construit pour l'exposition de 1937. Sa merveilleuse terrasse entre les deux ailes incurvées de son beau bâtiment offre une vue saisissante sur la tour Eiffel et une piste d'entraînement pour les amateurs de skateboard et de rollers. L'aile droite abrite le **musée de la Marine,** empli de maquettes de bateaux célèbres, d'instruments de navigation et de peintures qu'il est question de déménager pour le remplacer par un « musée des Arts premiers », et le musée de l'Homme, assez poussiéreux, mais aux richissimes collections

À NE PAS MANQUER

***** L'Arc de Triomphe :** à escalader au moins une fois.
***** Palais de Chaillot :** beaux musées, superbe panorama.

Symbole des guerres napoléoniennes, l'Arc de Triomphe est le point de départ du défilé du 14 juillet.

Les deux longues ailes courbes du palais de Chaillot enserrent une terrasse ornée de nombreuses sculptures.

ethnologiques, dont une remarquable galerie africaine. L'aile gauche est celle du **musée des Monuments français,** fondé par Viollet-le-Duc, qui présente des maquettes, parfois grandeur nature, de monuments souvent disparus. En sous-sol, le **musée du Cinéma-Henri Langlois** est un hommage statique mais brillant au cinématographe, complété par une salle de projection fréquentée par des générations de cinéphiles.

Non loin, le **musée des Arts asiatiques Guimet,** *6 place d'Iéna, XVIe (métro : Iéna)* est spécialisé dans l'art asiatique. Son annexe possède un temple et un jardin japonais. Le **musée d'Art moderne de la Ville de Paris** est installé plus bas, palais de Tokyo, *11 avenue du Président-Wilson, XVIe (métro : Alma-Marceau)*. Il possède, entre autres, le plus grand tableau du monde, *La Fée Électricité* de Raoul Dufy réalisé, comme le bâtiment, pour l'exposition de 1937. Excellentes expositions d'art contemporain. Le **musée de la Mode et du Costume** est installé en face, palais Galliera, *10 avenue Pierre Ier-de-Serbie, XVIe (métro : Iéna, Alma-Marceau)* et s'enorgueillit de quelque 16 000 costumes et textiles, présentés par expositions thématiques. Le **musée Marmottan,** *2 rue Louis-Boilly, XVIe (métro : Muette)*, ancien pavillon de chasse, est propriétaire de plusieurs Monet et autres impressionnistes (Morisot, Sisley, Renoir, Pissaro...), ainsi que de mobilier et d'œuvres d'art médiéval et Empire et d'un superbe ensemble de manuscrits enluminés.

Autres musées

Parmi les petits musées :
Fondation Le Corbusier, *10 square du Docteur Blanche, XVIe (métro : Jasmin)*, consacré au grand architecte.
Maison de Balzac, *47 rue Raynouard, XVIe (métro : Passy, Muette ; RER : Kennedy-Radio-France)*, maison du romancier pendant plusieurs années.
Maison de Radio-France, *116 avenue du Président-Kennedy, XVIe (métro : Ranelagh)*, futurisme années 1950, expositions sur la radio.
Musée du Vin, *5-7 square Charles Dickens, XVIe (métro : Passy)*, objets, ustensiles, personnages en cire, tout sur la fabrication du vin dans les caves du XIVe de l'ancienne abbaye de Passy.
Musée Clemenceau, *8 rue Franklin, XVIe (métro : Passy)*, hommage au grand homme.

NORD DES CHAMPS-ÉLYSÉES

Autour de la **place Saint-Augustin** dominée par une énorme église du XIXe siècle et une statue de Jeanne d'Arc se regroupent quelques musées de qualité. Le **musée Jacquemart-André,** *158 boulevard Hausmann, VIIIe (métro : St-Philippe-du-Roule, Miromesnil),* récemment restauré, possède de superbes collections d'art de la Renaissance italienne et des XVIIe et XVIIIe siècles. À voir : des œuvres de Donatello, Della Robbia, Tiepolo, Le Bernin, Rembrandt, Watteau, Boucher, Reynolds et Van Dyck. Le **musée Cernuschi,** *7 avenue Vélasquez, VIIIe (métro : Monceau, Villiers),* est centré sur l'art de la Chine ancienne. Le **musée Nissim-de-Camondo,** *63 rue de Monceau, VIIIe (métro : Villiers, Monceau)* est un temple à l'art français du XVIIIe siècle.

L'église Saint-Augustin a été construite sur une ossature de métal dessinée par Baltard, l'architecte des pavillons des Halles.

Plus au nord encore, *59 avenue Foch, XVIe (métro : Porte Dauphine),* voir le **musée Arménien** (arts, manuscrits, joaillerie) et le **musée national d'Ennery** d'art d'Extrême-Orient connu pour sa collection de netsukés. Le **musée de la Contrefaçon,** *16 rue de la Faisanderie, XVIe (métro : Porte Dauphine)* fascine par ses faux et ses copies de 200 av. J.-C. à nos jours. Le **musée des Lunettes et des Lorgnettes,** *380 rue Saint-Honoré, Ier (métro : Madeleine, Concorde)* est plus intéressant que son nom ne le laisse entendre.

7
La tour Eiffel, les Invalides et le musée d'Orsay

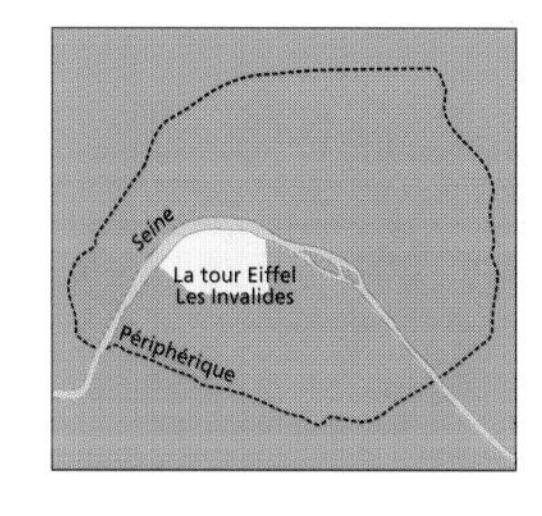

LA TOUR EIFFEL ***

Quai Branly (métro : Bir-Hakeim ; RER : Champ-de-Mars, Tour Eiffel)

On y fait toujours longuement la queue. Arrivez tôt le matin et soyez prêt à attendre. Soucieux de marquer le centenaire de la Révolution de façon spectaculaire, les organisateurs de l'Exposition universelle de 1889 hésitèrent entre des milliers de projets avant de fixer leur choix sur la tour métallique de l'ingénieur Gustave Eiffel, malgré des protestations scandalisées. Les travaux débutèrent en 1887 et furent achevés pour l'ouverture officielle du 31 mars 1889. La tour de 320 m de haut s'appuie sur quatre pieds formant un carré de 125 m de côté si parfaitement équilibré que la pression ne dépasse jamais celle du poids d'un homme. Elle pèse 9 550 tonnes, contient 15 000 pièces de fer, 2,5 millions de rivets. Il faut escalader 1 652 marches pour atteindre le troisième étage (préférez les ascenseurs hydrauliques originaux d'Eiffel) d'où, par temps clair, la vue porte jusqu'à 75 km. Elle était à l'origine peinte de couleurs en dégradé, partant d'un vert profond à la base jusqu'à un jaune pâle au sommet. En 1909, à la fin de la concession très rentable de 20 ans obtenue par Eiffel, la tour fut sauvée de justesse de la démolition. En 1914, transformée en émetteur, elle joua un rôle important dans la conduite de la guerre, et en 1916, servit aux premières transmissions téléphoniques transatlantiques. Des messages qu'elle intercepta menèrent à l'arrestation de Mata Hari en 1917. Le 30 décembre 1921, c'est de ses hauteurs que fut lancée la première

À NE PAS MANQUER

*** **La tour Eiffel,** 320 m de poutrelles de fer.
*** **Le musée d'Orsay,** pour y retrouver Van Gogh, Monet, Manet, Renoir...

Ci-contre : *festival d'ingénierie, la tour Eiffel fut érigée sur le champ de Mars, pour la célébration du premier centenaire de la Révolution.*

Ci-contre : *un dôme doré couronne l'église du Dôme des Invalides. Chapelle royale, elle est devenue le tombeau de Napoléon.*

émission de radio et, en 1925, André Citroën en fit le plus grand support publicitaire lumineux de l'histoire. Plus haute construction du monde jusqu'en 1930, elle possède aujourd'hui une station météorologique et de guidage des avions, et sert de relais de télévision et de radio. Ses petites maquettes sont le souvenir le plus acheté par les touristes. Un musée aménagé au premier étage retrace son histoire, parle de ses visiteurs célèbres et des suicidés

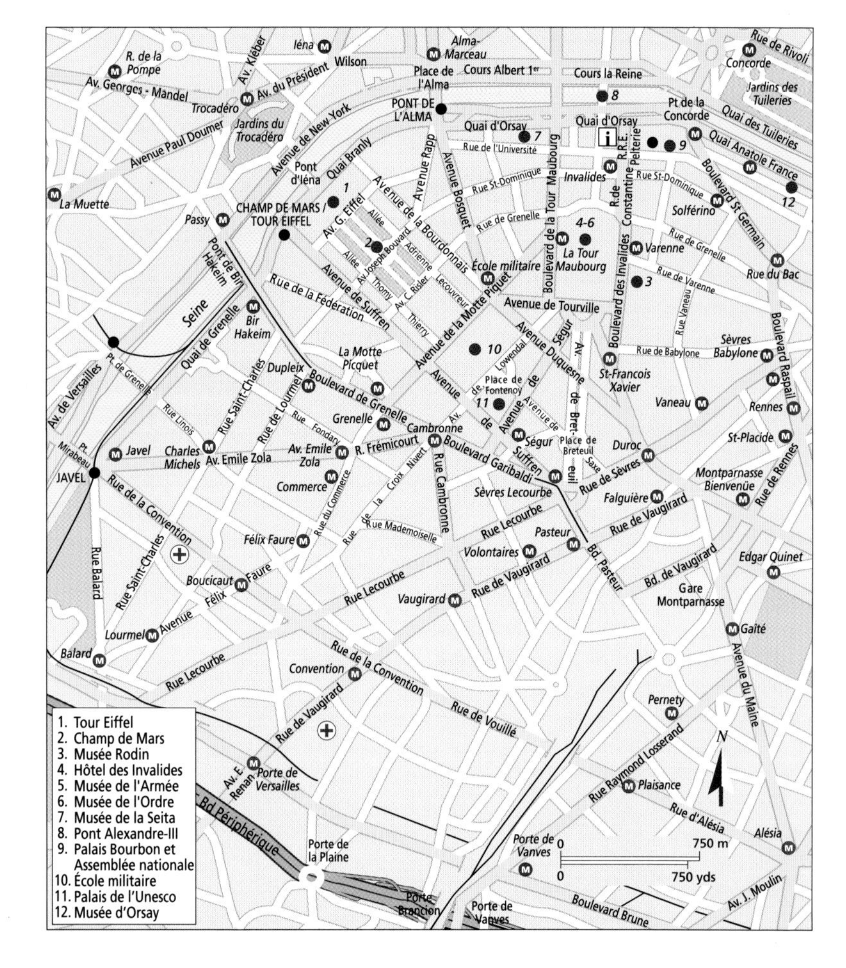

qui s'en servirent de tremplin. Mais avant tout, la tour est devenue le symbole de Paris, ce qui aurait fait plaisir aux organisateurs de l'exposition de 1889.

À ses pieds, le **champ de Mars** était à l'origine une place de parades militaires. En 1790, Louis XVI y fut contraint d'assister au premier anniversaire de la prise de la Bastille et, en 1794, Robespierre y organisa une gigantesque fête en l'honneur de l'Être Suprême et de l'immortalité de l'âme. S'y déroulèrent ensuite des ascensions en ballon, des essais de machines volantes, des courses de chevaux et, pendant les Expositions universelles, des attractions diverses comme un train se déplaçant sur coussin d'eau et une féerie électrique de 70 m de haut. À son extrémité, l'**École militaire,** *13 place Joffre, VIIe (métro : École-Militaire)* est un élégant bâtiment classique dessiné par Jacques-Ange Gabriel en 1751, à l'instigation de Mme de Pompadour. L'objectif de cet établissement était la formation militaire des jeunes gens désargentés mais capables.

Son plus célèbre diplômé reste Napoléon. Derrière encore, se dresse le siège en forme de Y de l'**Unesco,** *7 place de Fontenoy, VIIe, (métro : Ségur, Cambronne),* dont les jardins et les halls regorgent d'œuvres d'art moderne dont certaines de Henry Moore, Mirò, le Corbusier et Picasso.

L'HÔTEL DES INVALIDES **

(métro : Varenne, Latour-Maubourg, Invalides)

Une autre immense esplanade, aménagée en 1720, mène du pont Alexandre-III (*voir* p. 72) à ce vaste complexe construit en 1670-1676 par Louis XIV pour accueillir les soldats blessés ou malades. Conçu par Libéral Bruant, il est centré sur une **cour d'honneur** inspirée de l'Escorial de Madrid et a logé jusqu'à 6 000 personnes. Le 14 juillet 1789, la foule y entra en force et vola 28 000 fusils, qu'elle utilisa pour prendre la Bastille. L'austère **église Saint-Louis des Invalides** contient les drapeaux français ou capturés à l'ennemi. La collection est moins importante qu'elle ne devrait car 1417 d'entre eux furent brûlés par le gouverneur en 1814 pour les sauver des armées étran-

PROMENADE

La très longue rue de l'Université court de Saint-Germain-des-Prés à la tour Eiffel. Elle passe de l'atmosphère élégante mais animée de la rive gauche à la sophistication glacée du VIIe arrondissement.
Ici, tout se passe derrière les grands portails des hôtels particuliers dont beaucoup sont occupés par des ministères.

Dans l'hôtel de Biron, rue de Varenne, se trouve le musée Rodin. La rue Saint-Dominique, très résidentielle, entre les Invalides et le champ de Mars, est agréable à suivre. Jolies boutiques de vêtements – dont certaines en dégriffé –, de fleurs, et petits cafés. Cherchez la fontaine de Mars néo-classique et, au n° 12, le superbe Liceo Italiano Art nouveau. Non loin, la qualité des produits du joli marché de la rue Cler reflète l'aisance de sa clientèle bourgeoise.

ÉGOUTS

Jusqu'à ce qu'Hausmann et l'ingénieur Belgrand reprennent les choses en main en 1852, Paris ne possédait qu'un système rudimentaire d'égouts et était renommé pour la saleté de ses rues. Aujourd'hui, elle dispose de 2 050 km de tunnels de 4 à 6 m de haut accessibles par 26 000 bouches. Les Parisiens sont si fiers de leurs égouts qu'ils les font visiter depuis 1867 (93 quai d'Orsay, VIIIe ; métro Pont de l'Alma). La visite qui se faisait jadis en bateau a été remplacée par un audiovisuel, un petit musée et une courte promenade.

gères qui marchaient sur Paris. Le dôme aux ors scintillants a été dessiné par Hardouin-Mansart pour servir de chapelle royale. Plusieurs grands héros militaires y sont enterrés, mais sont quelque peu masqués par le splendide **tombeau de Napoléon.** Il y fut enseveli en 1840, dans sept cercueils de fer, d'acajou, de plomb (2), d'ébène, de chêne et un sarcophage de porphyre rouge, entouré des noms gravés de ses plus grandes victoires. La tombe se regarde d'un balcon pour être sûr, dit-on, que l'on s'incline devant l'Empereur.

L'entrée du **musée de l'Armée** est signalée par une vieille automobile, hommage aux taxis de la Marne de 1914 qui transportèrent 7 000 soldats en renfort, sauvant du même coup la capitale. Il possède l'une des plus riches collections militaires du monde, dont plus de 10 000 uniformes, l'armure de Henri II et le manteau de Napoléon. Vous y trouverez le masque mortuaire de Napoléon, son chien et son cheval favoris, tous deux empaillés. Le **musée des Plans-Reliefs** est un superbe ensemble de maquettes de villes frontières fortifiées, entamé par Louis XIV en 1686 et dont la dernière date de 1870. Le **musée de l'Ordre de la Libération**, *51 bis boulevard de Latour-Maubourg, VIIe (métro : Latour-Maubourg)*, dont l'accès est possible de l'intérieur de l'hôtel des Invalides, commémore le rôle des Français dans la Seconde Guerre mondiale et l'ordre créé par De Gaulle en 1940.

Détail d'un canon de l'hôtel des Invalides. Un arsenal y avait été aménagé avant la Révolution.

La sombre gare d'Orsay a été transformée en un musée lumineux et spacieux, merveilleux écrin pour les impressionnistes.

Dissimulé derrière un haut mur, à quelques minutes de marche, le merveilleux **musée Rodin,** *77 rue de Varenne, VII*[e] *(métro : Varenne).* À la différence de nombre de ses contemporains, Auguste Rodin (1840-1917) connut un tel succès pendant sa vie, qu'il se vit offrir ce superbe hôtel Biron en 1908, à condition de laisser ses œuvres à l'État à sa mort. Ce petit musée est un régal. Les élégants salons et le délicieux jardin de cette demeure édifiée par Gabriel et Aubert (1731) contiennent un remarquable ensemble d'œuvres du grand sculpteur, dont des pièces aussi célèbres que *Le Baiser, Le Penseur, Les Bourgeois de Calais* et les sombres *Portes de l'Enfer*. Les amateurs doivent aussi visiter son atelier de la villa des Brillants à Meudon.

La rue de Varenne, qui relie les Invalides au prestigieux faubourg Saint-Germain possède plusieurs beaux hôtels dont le principal est l'**hôtel Matignon** (n° 57), résidence officielle du Premier ministre. Rue de Grenelle (n° 57-59) se trouve la charmante **fontaine des Quatre-Saisons,** sculptée par Bouchon entre 1739 et 1745. De là, la rue de Luynes mène à l'**église baroque de Saint-Thomas d'Aquin.**

LE MUSÉE D'ORSAY ***

1 rue de Bellechasse, VIIe *(métro : Solférino ; RER : Musée d'Orsay)*

L'énorme caverne de verre et de fer de la gare d'Orsay, construite par Victor Laloux pour l'Exposition univer-

La Sieste, *de Van Gogh (1853-1890). Musée d'Orsay. En 1886, l'artiste arrive à Paris, où il est sensible à l'influence des impressionnistes français.*

selle de 1900 fut jadis la plus centrale des gares parisiennes. Sauvée de la démolition à la dernière minute, elle rouvrit en 1986, merveilleusement reconvertie en un spectaculaire musée consacré à l'art de 1848 à 1914, période où Paris fit vibrer l'univers.

Une galerie de sculptures traverse le musée, flanquée de trois étages de galeries plus petites qui montrent le développement du style pictural depuis Ingres, Corot et Delacroix.

La vedette est naturellement occupée par la somptueuse collection d'impressionnistes, où l'on retrouve tant de tableaux connus, comme les autoportraits de Cézanne et de Van Gogh ou *La Mère de Whistler*. Certains des tableaux les plus célèbres du monde sont là, dont l'*Olympia* et le *Déjeuner sur l'herbe* de Manet, qui annoncèrent le mouvement impressionniste. Ne pas ignorer quelques salles moins courues, comme celle des délicieux pastels de Toulouse-Lautrec, des meubles de Macintosh et de Frank Lloyd Wright, des caricatures et de l'architecture. On ne peut faire l'impasse sur le musée d'Orsay.

Un peu plus haut sur le quai, s'élève le **Palais-Bourbon,** *126 rue de l'Université, VIIe (métro : Assemblée Nationale),* face à la place de la Concorde, sur l'autre rive de la Seine (*voir* p. 69). Édifié entre 1722 et 1728 pour la fille de Louis XIV, le palais possède une façade classique ajoutée par Poyet à la demande de Napoléon en 1807. Depuis 1827, elle abrite la Chambre des députés.

C'EST UN SCANDALE !

Lorsque le *Déjeuner sur l'herbe* de Manet est exposé au Salon des refusés en 1863, il provoque un scandale. S'inspirant du *Concert champêtre* de Giorgione, Manet (1832-1883) avait réalisé un tableau dans la tradition académique que le salon officiel avait rejeté. Ce fut cependant cette œuvre qui inspira Monet et les autres impressionnistes, bien que Manet n'ait jamais fait partie de leur groupe. Il continua à peindre en jouant des contrastes entre le clair, l'obscur, le noir. Ce n'est qu'à la fin de sa vie qu'il se décida à travailler sur le motif en extérieur et d'exclure le noir au profit de la palette de « l'arc-en-ciel ».

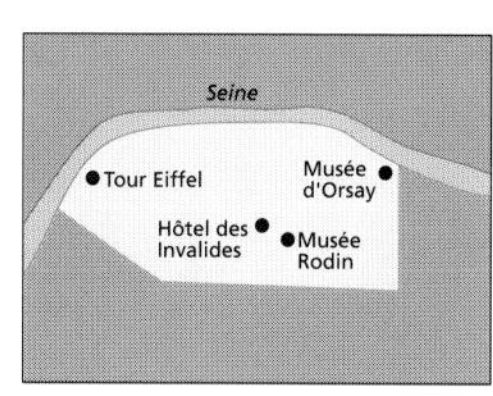

Portrait, *par Cézanne (1839-1906). Musée d'Orsay. Ce tableau fut présenté lors de la première exposition impressionniste en 1874.*

AUTRES MUSÉES DU QUARTIER

Le **musée de la Seita**, *12 rue Surcouf, VIIe (métro : Invalides, Latour-Maubourg)* ouvert pour l'exposition de 1937 est consacré au tabac mais aussi à d'excellentes expositions temporaires.

Le **musée Maillol**, *61 rue de Grenelle, VIIe (métro : rue du Bac)* présente une riche collection de sculptures et de dessins d'Aristide Maillol.

Le **musée de la Légion d'honneur,** *2 rue de Bellechasse, VIIe (métro : Solférino ; RER : Musée d'Orsay)* accumule les médailles et décorations militaires. Il touche au **palais de la Légion d'Honneur,** ex-hôtel construit par le prince de Salm au XVIIIe siècle, contraint de le louer pour vivre.

Après la Révolution, il fut pillé. Plus tard, Madame de Staël y habita et son salon attira l'élite intellectuelle de son temps.

LES EXPOSITIONS UNIVERSELLES

En 1855, 1867, 1878, 1889, 1900, 1925 et 1937 Paris organise des expositions qui renforcent son image internationale et sont l'occasion de travaux spectaculaires. Des inventions comme l'argenture, le saxophone, le téléphone, le phonographe, la télévision, la sorbetière et les premières automobiles firent, entre autres, leur apparition à cette occasion.
En 1855, la reine Victoria fut le premier souverain britannique à se rendre en France depuis 1431.
En 1889, pour le centenaire de la Révolution, on érigea la tour Eiffel. En 1900, ce fut le pont Alexandre-III, le Grand et le Petit Palais (p. 71) et la gare d'Orsay (p. 81). En 1937, on édifia le palais de Chaillot.

PATISSERIE
CREPES

8
La rive gauche et Montparnasse

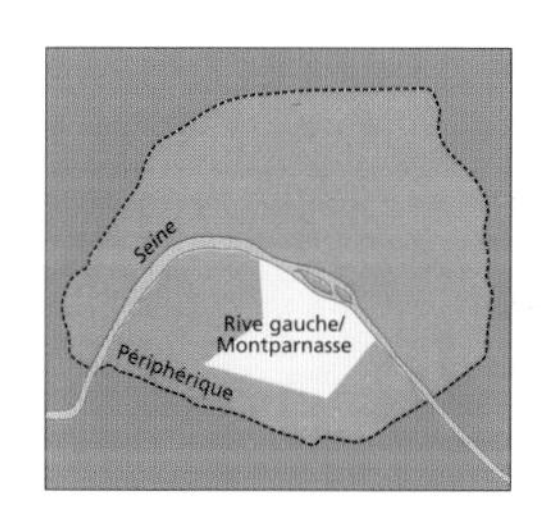

Saint-Germain-des-Prés et le Luxembourg

Dès le VIe siècle, ce faubourg de ce qui n'est pas encore Paris est dominé par une puissante abbaye bénédictine qui cultive un climat cosmopolite et intellectuellement sophistiqué qui demeure jusqu'à aujourd'hui. L'abbé de Saint-Germain-des-Prés régnait en véritable souverain sur un territoire correspondant aux VIe et VIIe arrondissements actuels, ne devant rendre de comptes qu'au pape. Aux XVIIe et XIXe siècles, le faubourg Saint-Germain est le quartier aristocratique à la mode avant de devenir celui du pouvoir au XXe. La Comédie-Française s'installe un temps rue de l'Ancienne-Comédie avant d'être forcée de traverser la Seine, sous la pression d'une université puritaine en 1688. Une foire célèbre se tient près de l'église chaque année, un mois durant. En 1857, **Eugène Delacroix** s'installe dans son atelier du 6 rue Fürstenberg, aujourd'hui charmant musée dédié au maître.

Après 1945, les intellectuels, menés par Sartre et Simone de Beauvoir, se déplacent de Montparnasse (*voir* p. 93) et s'installent presque à demeure dans des cafés comme les Deux-Magots, Le Flore, la brasserie Lipp et Le Procope, fondé en 1686, qui assure être le plus vieux café du monde. Voltaire, Oscar Wilde, Napoléon, Hugo le fréquentaient, et même le docteur Guillotin (1743-1793) qui expérimentait sa sinistre machine sur des moutons dans la cour de Rohan, à deux pas. Aujourd'hui, le quartier est cher, à la mode, envahi de boutiques de luxe. Les pavés, utilisés en mai 68, ont été remplacés par de l'asphalte.

Promenade

De la place Saint-Germain-des-Prés, remontez la rue Bonaparte vers la place Saint-Sulpice puis jusqu'à la rue de Vaugirard. Entrez dans les jardins du Luxembourg, que vous quitterez de l'autre côté, boulevard Saint-Michel. Tournez dans la rue Soufflot et allez jusqu'au Panthéon. Revenez sur vos pas, prenez la rue Saint-Jacques, à droite, puis à gauche dans la rue des Écoles et à droite rue de Cluny pour aller au musée de Cluny ; puis à gauche boulevard Saint-Germain. Traversez-le et prenez la rue Boutebrie. Au bout, tournez à gauche place Saint-Michel, vers le métro.

Ci-contre : *accordéoniste au quartier Latin.*

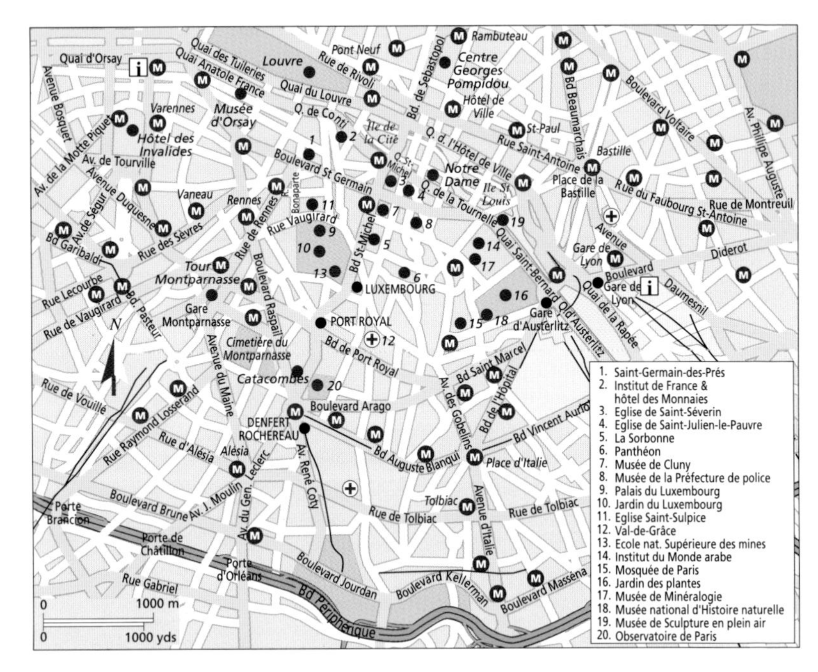

Petits musées

Musée Bourdelle,
18 rue Antoine Bourdelle, XVe (métro : Falguière, Montparnasse-Bienvenüe).
Atelier et appartements d'un grand sculpteur d'avant-guerre.

Musée national Hébert,
85 rue du Cherche-Midi, VIe (métro : Vaneau).
Consacré à un artiste mondain, le symboliste Ernest Hébert (1817-1908).

Musée Zadkine,
100 bis rue d'Assas, VIe, (métro : Port-Royal).
Maison et jardin du sculpteur cubiste russe.

L'**église abbatiale de Saint-Germain** (*métro : Saint-Germain-des-Prés*) a été fondée par le roi Childebert en 542, pour abriter plusieurs précieuses reliques et prit plus tard le nom de l'évêque de Paris de cette époque. Toutefois, pour éviter la confusion avec Saint-Germain-l'Auxerrois (*voir* p. 39), l'église alors en pleine campagne fut nommée Saint-Germain-des-Prés. Pillée quatre fois par les Normands au IXe siècle, ses éléments les plus anciens datent de 866, ce qui en fait la plus vieille église parisienne, bien que sa majeure partie date de 1193. L'abbaye fut riche et prospère jusqu'à la Révolution qui la détruisit pratiquement entièrement et confisqua sa vaste bibliothèque. En 1794, en effet, elle servit de raffinerie de salpêtre et d'entrepôt de poudre. Inévitablement, elle fut en partie détruite par un incendie. Puis ce furent des infiltrations d'eau qui corrodèrent ses fondations, au point qu'on envisagea sa démolition. Du vaste monastère demeurent l'église et le plais abbatial.

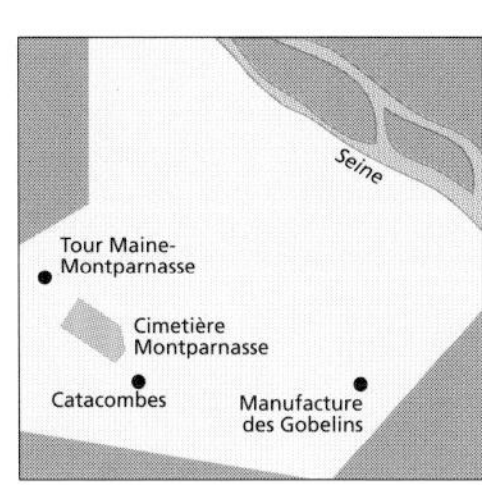

Devant l'église Saint-Sulpice, fontaine en hommage à Bossuet, Fénelon, Massillon et Fléchier.

Au bord de la Seine, le **musée de la Monnaie,** *11 quai de Conti, VIe (métro : St-Michel, Odéon)* est logé dans un palais construit en 1775 par Louis XV pour battre la monnaie. Musée très intéressant, il permet également de visiter les ateliers des médailles. Non loin se dresse l'**Institut de France,** siège de cinq académies dont la prestigieuse Académie française (1635), l'Académie des sciences (1666), et l'**École des beaux-arts.**

Au sud, ne pas manquer la vaste **église néo-classique Saint-Sulpice** *(place et métro Saint-Sulpice),* dédiée à un évêque de Bourges du VIe siècle, et commencée en 1646. De nombreux architectes, dont Le Vau et Guittard, travaillèrent sur le projet, mais la façade grandiose a été

À NE PAS MANQUER

***** Musée de Cluny :** la superbe collection nationale sur le Moyen Âge, dont la tapisserie de La *Dame à la Licorne.*
***** Panthéon :** le repos des héros.
***** Quartier Latin :** ruelles, restaurants bon marché, atmosphère sympathique.

À droite : *des poneys attendent leurs jeunes cavaliers au Luxembourg.*

Ci-contre : *banc de fruits de mer d'un restaurant du quartier Latin.*

ajoutée un siècle plus tard par l'architecte florentin Servandoni. La tour sud n'a jamais été achevée. À l'intérieur, plusieurs belles fresques XIXe dont des œuvres de Delacroix, un gnomon astronomique du XIXe siècle, qui marque les saisons et les levers de soleil, et de superbes orgues (1781). Sur la place, la **fontaine des Quatre-Évêques.** Rue de Sèvres, visiter l'un des plus anciens grands magasins de Paris, le **Bon Marché.**

À quelques centaines de mètres de l'église s'ouvrent les **jardins du Luxembourg** *(RER : Luxembourg)*, superbes jardins à l'italienne où il fait bon se reposer. Créés à l'origine pour Marie de Médicis en 1613, ils ont été redessinés par Chalgrin au XIXe siècle. Aujourd'hui, les étudiants aiment s'y retrouver. Au nord, le **palais du Luxembourg,** ancienne résidence de Marie de Médicis et siège du Sénat se reflète dans un vaste bassin. Le palais se visite sur autorisation.

Ci-dessous : *ruelles et ambiance multiculturelle au quartier Latin.*

LE QUARTIER LATIN ★★★

(métro : Saint-Michel, Maubert-Mutualité, Cluny-La Sorbonne)

De l'autre côté du **boulevard Saint-Michel,** grand axe commercial, se trouvent quelques rares fragments du Paris médiéval, hantés par les étudiants depuis le XIIIe siècle. Rabelais l'appela le quartier

Latin car cette langue était la seule utilisée à l'université et cela jusqu'au XVIIIe siècle. Aujourd'hui ses petites ruelles sont envahies de restaurants ethniques et bon marché, de cafés, de crêperies, de camelots et de boutiques de bijoux.

L'**église Saint-Séverin,** *3 rue des Prêtres-Saint-Séverin, V^{e},* est l'église de l'université, nommée d'après deux saints du VIe siècle qui auraient rendu des faveurs à Clovis. Reconstruite plusieurs fois depuis le VIe siècle, elle date essentiellement du XVe, traitée dans un gothique tardif superbe. Admirer ses chapiteaux, son double déambulatoire partant d'une colonne centrale torsadée, et quelques beaux vitraux modernes. L'orgue baroque (1745) a été joué par Saint-Saëns et Fauré. En 1474, un condamné à mort se vit offrir la vie sauve s'il se soumettait à une opération expérimentale de calculs biliaires, réalisée dans le jardin. Le plus étonnant est qu'il survécut pour en raconter l'histoire.

La petite **église Saint-Julien-le-Pauvre,** *1 rue St-Julien-le-Pauvre, V^{e}* porte le nom de saint Julien l'Hospitalier qui avait accidentellement tué ses parents et passa le reste de sa vie au service des pauvres pour gagner son salut. Construite au VIe siècle, elle fut en grande partie reconstruite au XIIe, date à laquelle elle servait de salle d'assemblée pour les étudiants. Détruite pendant des émeutes étudiantes en 1524, on la reconstruisit en 1651. Aujourd'hui elle est consacrée au culte orthodoxe grec.

Connu sous le nom de musée de Cluny, le **musée national du Moyen Âge,** *6 place Paul-Painlevé, V^{e} (métro : Cluny-la-Sorbonne, Saint-Michel, Odéon)* est installé dans une magnifique demeure construite vers 1500 par

HÔTEL DE CLUNY

Cet hôtel, qui abrite le musée, est un bel exemple d'architecture civile médiévale et de style gothique flamboyant. Les armes de la famille Amboise surmontent le portail d'entrée qui ouvre sur une ravissante cour. La demeure a reçu des hôtes célèbres : Marie Tudor, sœur d'Henry VIII d'Angleterre y séjourna après la mort prématurée de son mari âgé, Louis XII de France. Au XVIIe siècle, elle fut la résidence du nonce du pape, et de Mazarin.

À droite : *l'hôtel de Cluny, XVe siècle, est un bel exemple de résidence privée de l'époque et un beau cadre pour la collection médiévale du musée.*

Ci-contre : *l'imposant Panthéon a été édifié en style néo-classique au XVIIIe siècle. Ancienne église, c'est la sépulture des gloires de la France.*

Jacques d'Amboise, abbé d'un monastère bénédictin fondé en ces lieux vers 1330. Les **thermes de Cluny** voisins datent des Romains (IIe siècle). À l'intérieur sont superbement présentées les collections nationales d'art médiéval et d'objets de la même époque, fondées par Alexandre du Sommerard en 1832. L'État acheta les collections et la demeure en 1844. C'est un véritable trésor de couronnes d'or et de reliquaires précieux, de petites rotondes de bois et d'ivoire, de peintures sur fond doré, de tapisseries et de vitraux, de manuscrits aux enluminures exquises, de chapitaux de pierre et de lourds meubles de bois. Salle VIII sont regroupées 28 têtes des rois de Judée de Notre-Dame (*voir* p. 35) décapités en 1793 par les révolutionnaires qui pensaient qu'il s'agissait des rois de France. Salle XII, le frigidarium à voûte en berceau des bains romains contient des sculptures et des autels romans. En haut, salle XIII, les six sublimes tapisseries au mille fleurs de *La Dame à la licorne* ont été tissées près d'Aubusson à la fin du XVe siècle, et sauvées du grenier d'un château oublié 400 ans plus tard.

En 1215, l'Université de Paris fut officiellement reconnue et, en 1257, Robert de Sorbon, chapelain de Saint Louis, fonda la Sorbonne pour 16 étudiants en théologie pauvres. Elle allait devenir l'une des plus grandes universités du monde, logée aujourd'hui dans un labyrinthe de bâtiments monumentaux du XIXe siècle, qui s'étendent derrière la rue des Écoles.

FRAIS FESTIN

La **rue Mouffetard** *(métro : Monge, Censier-Daubenton)* est un des plus célèbres marchés de Paris. Grâce à des influences arabes, chinoises, italiennes, espagnoles, il est devenu très international. Moins connu mais plein d'atmosphère, celui de la **rue de Buci** *(métro : Saint-Germain-des-Prés, Mabillon)* est mieux fourni en produits de qualité. Paris compte une cinquantaine de marchés dont l'un des plus grands a lieu deux fois par semaine sur le boulevard de Belleville.

Au sommet de la colline Stainte-Geneviève, le **Panthéon**, *place du Panthéon, Ve (métro : Luxembourg, Monge)*. Une première abbaye et une église furent édifiées ici en 508 par Clovis, sur la tombe de sainte Geneviève. En 1757, à la suite d'un vœu, Louix XV lança les travaux d'une nouvelle église à la gloire de la France, de la monarchie et de la sainte. En forme de croix grecque, surmontée d'un énorme dôme et ornée d'un péristyle classique, elle a été dessinée par Soufflot en 1764 et achevée en 1790. En 1791, elle fut transformée en Panthéon pour les héros de la république. En novembre 1793, les révolutionnaires brûlèrent et jetèrent à la Seine les reliques du saint.

Au XIXe siècle, l'église passe de Panthéon à lieu de culte à plusieurs reprises avant de devenir bâtiment civil en 1885. Presque tous les artistes importants du siècle y réaliseront des fresques et des sculptures sur la vie de sainte Geneviève, les héros et saints français, les vertus civiques, et la grande Révolution. Foucault, inventeur du pendule, y mena des expériences scientifiques en 1851-1852, suspendant un pendule au centre du dôme pour prouver la rotation de la terre. Parmi les grandes figures qui y sont enterrées, figurent Voltaire, Hugo, Rousseau, Zola, Soufflot, Braille, Jean Moulin, René Cassin, André Malraux et récemment l'économiste Jean Monnet (un des pères de l'Europe).

Derrière, se dresse la délicieuse **église Saint-Étienne-du-Mont,** *place Sainte Geneviève, Ve (métro : Luxembourg, Monge)* fondée en 1492. Sa structure de base est gothique, mais elle a été remaniée en 1610. Sa façade ajourée et beaucoup de son décor intérieur, en particulier le jubé et la chaire sont de pur style Renaissance. Les quelques reliques subsistantes de sainte Geneviève y sont conservées et attirent les pèlerins. Pascal et Racine y sont enterrés, de même que le peintre Le Sueur.

SAINTE GENEVIÈVE

Geneviève était la fille d'un paysan de Nanterre, née en 422, et qui vint à Paris pour prendre les ordres. Lorsque Attila et ses Huns marchèrent sur la ville en 451, elle assura aux Parisiens paniqués qu'ils ne devaient pas avoir peur. Quand les Huns repartirent sans avoir attaqué, sa prophétie fut considérée comme un miracle. En 460, elle construisit la première église sur la tombe de saint Denis (p. 99). À sa mort, vers 500, sa tombe devint un lieu de pèlerinage et elle fut faite patronne de Paris, fêtée le 3 janvier. Les fidèles prièrent devant ses reliques pendant 3 jours avant la bataille de la Marne (1914) qui vit Paris sauvé une fois encore.

PETITS MUSÉES CURIEUX

Collection historique de la préfecture de police, *1 bis rue des Carmes, Ve (métro : Maubert-Mutualité) :* collection souvent sinistre d'objets bizarres et de documents sur des énigmes policières.
Musée de l'Assistance publique, *47 quai de la Tournelle, Ve (métro : Maubert-Mutualité) :* l'histoire des hôpitaux parisiens depuis le Moyen Âge.
Musée des Chasseurs à pied, alpins, cyclistes, *Château de Vincennes (métro : Vincennes) :* les ancêtres du trekking et de la rando.
Musée de Curiosité, *11 rue Saint-Paul, IVe (métro : Saint-Paul) :* magie, illusions, démonstrations.
Musée de la Franc-Maçonnerie, *16 rue Cadet, IXe (métro : Cadet) :* l'occasion de pénétrer dans un temple.
Musée national du Sport, parc des Princes, *24 rue du Cdt-Guilbaud, XVIe (métro : Porte-de-Saint-Cloud) :* souvenirs sportifs.

QUARTIER DU JARDIN DES PLANTES

Le long du quai Saint-Bernard, s'étend le **musée de la Sculpture** en plein air *(métro : Jussieu, Monge),* jardin de sculptures modernes (œuvres de Brancusi, Zadkine et César). Un peu plus loin, se dresse le fascinant **Institut du monde arabe,** *1 rue des Fossés-St-Bernard, Ve (métro : Jussieu, Cardinal-Lemoine)* conçu par Jean Nouvel en 1981 et financé par la France et 22 pays arabes. Ses baies sont équipées d'un système de claustras fonctionnant comme un diaphragme d'appareil photo automatique. À l'intérieur, très beau musée d'art islamique et passionnantes expositions temporaires.

Le **jardin des Plantes** *(métro : Jussieu, Gare d'Austerlitz)* fut à l'origine un jardin d'herboristerie médicinale, dessiné en 1626 par Jean Hérouard et Guy de La Brosse, médecins de Louis XIII. Ils fondèrent également une école de botanique, d'histoire naturelle et de pharmacie qui a donné naissance à ce superbe jardin. Buffon, le grand naturaliste, en fut l'intendant en 1739-1788. Le bâtiment récemment restauré contient le **museum national d'Histoire naturelle,** *57 rue Buffon, Ve,* bourré de plantes fossiles, de dinosaures et de minéraux.

En 1791, les quatre derniers animaux survivants de la ménagerie de Versailles furent transférés ici. Le zoo s'est agrandi depuis, même si ses pensionnaires ont été mangés pendant le siège de 1870-1871. Aujourd'hui c'est un agréable petit zoo de chats sauvages, d'ours, de petits animaux, serpents et autres.

Derrière le parc, la **grande mosquée de Paris** (1922), *place du Puits-de-l'Ermite, Ve (métro : Monge)* a été élevée en souvenir des musulmans morts pendant la Première Guerre mondiale. C'est un centre culturel et religieux important dont le joli jardin intérieur est inspiré de celui de l'Alhambra.

Également dans le quartier, le petit **musée de Minéralogie,** *université Pierre-et-Marie Curie, 34 rue de Jussieu, Ve (métro : Jussieu)* expose remarquablement bien une collection de pierres précieuses et autres minéraux. Les **Arènes de Lutèce** (IIIe siècle), square, *49 rue Monge, Ve (métro : Cardinal Lemoine, Jussieu)* furent détruites par les

Barbares, puis redécouvertes et largement reconstruites au XIXe siècle. Entrée du square rue de Navarre.

Montparnasse et le Sud

Sous les Romains, la colline se constitua à partir de débris de carrières. Les étudiants qui aimaient l'endroit pour son vin et ses caboulots, le surnommèrent mont Parnasse. À partir de 1800, il attire de plus en plus de cafés et de cabarets, mais sa fréquentation n'augmente vraiment qu'au XXe siècle, lorsque les loyers de Montmartre grimpent en flèche et que les artistes et intellectuels sans le sou y trouvent refuge. Lénine, Trotsky, Hemingway, Gertrude Stein, Picasso et Eisenstein y passent.

Les touristes viennent toujours tenter d'y respirer l'air du génie, remplacé aujourd'hui par les fumées des voitures. Les intellectuels se déplaceront vers Saint-Germain-des-Prés après guerre et les années 1960 ont livré le quartier à des urbanistes sans grande imagination. Plusieurs des grands cafés du passé ont survécu, tels le **Sélect, Le Dôme, La Rotonde, La Closerie des Lilas** et **La Coupole**, que 30 artistes contribuèrent à décorer. Beaucoup plus chers aujourd'hui, ils sont restés très accueillants.

D'architecture peu inspirée, la tour Maine-Montparnasse offre un superbe panorama sur Paris et ses environs.

Au cœur du nouveau quartier se dresse la gigantesque **tour Maine-Montparnasse,** *33 avenue du Maine, XVe (métro : Montparnasse-Bienvenüe),* plus haut immeuble de France (209 m). Du belvédère fermé du 56e étage, ou ouvert au 59e, on peut voir jusqu'à 40 km par beau temps.

Si les timbres vous intéressent, visitez le **musée de la Poste,** *34 boulevard de Vaugirard, XVe (métro : Montparnasse-Bienvenüe)* qui possède une énorme collection et retrace l'histoire de la poste, des parchemins médiévaux aux ballons et pigeons utilisés par les Parisiens pendant le siège de 1870.

Non loin, le **cimetière de Montparnasse**, ouvert en 1824, *3 boulevard Edgar-Quinet, XIVe (métro : Edgar Quinet)* est le troisième plus grand cimetière de Paris. Parmi ses hôtes célèbres, Jean-Paul Sartre (1905-1980), Simone de Beauvoir (1908-1986), Samuel Beckett (1906-1989), Charles Baudelaire (1821-1867) et Guy de Maupassant (1850-1893), les compositeurs César Franck (1822-1890) et Camille Saint-Saëns (1835-1921), les sculpteurs Antoine Bourdelle (1861-1929), Ossip Zadkine (1890-1967), François Rude (1784-1855) et Frédéric Bartholdi (1834-1904), sans oublier André Citroën, le constructeur d'automobiles.

Pendant des siècles, des cadavres de Parisiens avaient été entassés dans un petit carré des Halles (*voir* p. 40), mais leur nombre finit par se développer au point que des voisins furent asphyxiés par les odeurs en 1780. En 1786, on transféra environ 2 millions de restes dans une ancienne carrière, qui fut appelée les catacombes, place Denfert-Rochereau, XIVe (*métro : Denfert-Rochereau*). Les ossements furent rangés bien en ordre sur des étagères, et les crânes ordonnés en pyramides. Les touristes vinrent, des aristocrates y donnèrent des réceptions et des concerts, et la Résistance en fit une de ses caches pendant la Seconde Guerre mondiale.

À proximité, l'**Observatoire de Paris**, *61 avenue de l'Observatoire, XIVe (métro : Denfert-Rochereau)* a été fondé par Louis XIV en 1667, pour l'Académie des sciences. Il a été dessiné par Claude Perrault selon des plans plus esthétiques que scientifiques, et les premiers astronomes durent installer leurs téléscopes dans les jardins. Il est néanmoins devenu un centre scientifique important, à l'origine du système métrique, de la découverte de Neptune, du calcul de la circonférence exacte de la terre, de la distance de la terre au soleil et de la vitesse de la lumière.

Jusqu'en 1884, il abritait le méridien de Paris, concurrent de celui de Greenwich pour le calcul des longitudes. Il reste le siège de l'Horloge universelle coordonnée, mesure officielle de l'heure en France.

SARTRE ET BEAUVOIR

Jean-Paul Sartre et Simone de Beauvoir vécurent toute leur vie ensemble et furent deux des plus influents penseurs français de ce siècle. Sartre est à l'origine de l'existentialisme, selon laquelle l'existence est à la base futile, sans grande raison ni buts. Vous êtes donc libre de donner à votre vie la valeur que vous souhaitez. L'œuvre majeure de S. de Beauvoir, *Le Deuxième Sexe* (1949) a aidé à conceptualiser la pensée féministe des débuts de ce mouvement et à provoquer une véritable révolution internationale. Tous deux ont également écrit des pièces et des romans.

LIBERTÉ

La statue de la Liberté du port de New York, « La Liberté éclairant le monde » a été offerte par la France au peuple américain pour commémorer le centenaire de son indépendance (1886). La massive statue de Bartholdi mesure 67 m de haut, mais une version réduite en est visible à Paris à l'extrémité de l'île aux Cygnes au milieu de la Seine, face à la maison de la Radio.

La fontaine de l'Observatoire a été dessinée par Davioud en 1873. Ses beaux chevaux cabrés sont dus à Frémiet.

La **manufacture des Gobelins,** *1 rue Berbier du Mets, XIIIe (métro : Les Gobelins)* a été fondée par Colbert au début du XVIIe siècle dans une ancienne teinturerie. En 1662, Louis XIV en fait une institution royale et elle devient célèbre dans toute l'Europe.

En même temps, les Gobelins prirent le contrôle de la fabrique royale de tapis installée dans une ancienne savonnerie, d'où son nom.

La Savonnerie rejoignit les Gobelins au XIXe siècle. En 1940, la tapisserie de Beauvais y fut déposée. On peut y voir des tisserands réaliser ou réparer des œuvres sans prix.

Il faut de quatre à huit ans pour exécuter une de ses magnifiques tapisseries.

Les Gobelins

La manufacture des Gobelins est un lieu fascinant. Des visites guidées permettent de découvrir le processus de tissage de ces superbes tapisseries. Des tisseurs-artistes vivent sur place et suivent une longue formation sur tous les aspects du tissage, de la teinture et du dessin. Les tapisseries sont tissées sur trame, et faites à l'envers. Le dessin ou carton est placé derrière le tisseur et son image est copiée par réflexion dans un miroir. Beaucoup de ces cartons sont signés d'artistes connus et la mise au point des couleurs est parfaite. Les tapisseries sont surtout des commandes de ministères pour des cadeaux officiels.

9
La banlieue

Le bois de Boulogne **

(métro : Porte Maillot, Porte Dauphine, Porte d'Auteuil, Sablons). À éviter la nuit.

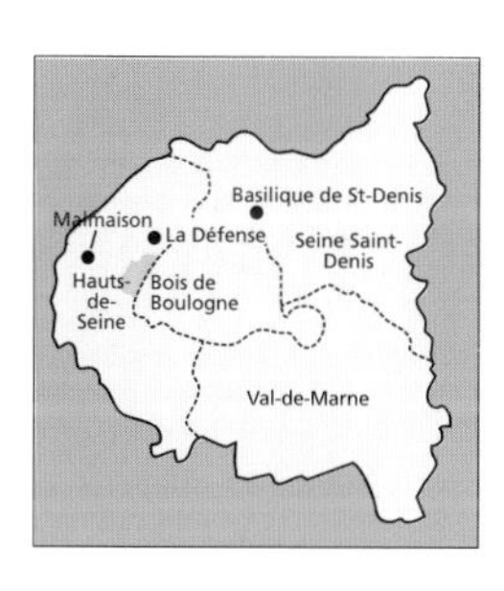

Cet immense bois de 845 hectares est une ancienne réserve de chasse transformée en parc royal en 1585. Au XVIIIe siècle, lorsque Louis XVI l'ouvrit au public, il devint un lieu élégant. En 1852, Napoléon III offrit le parc à la ville de Paris et Haussmann confia l'aménagement de celui-ci à Jean-Charles Alphand. Le **Jardin d'acclimatation** propose aux enfants un terrain de jeu, un petit zoo, un train miniature, une maison de poupée géante, un boulingrin, une galerie d'art et un atelier, le **Musée en herbe.** Le **musée national des Arts** et **Traditions populaires,** juste à côté, possède une belle collection d'art populaire, surtout rural.

Le **Pré-Catelan**, ainsi nommé d'après un troubadour du XIIe siècle assassiné en ces lieux, possède un jardin de toutes les plantes citées par Shakespeare, et un grand restaurant.

Deux grands lacs permettent aux amateurs de barques de s'exercer. Ceux qui préfèrent les fleurs verront les **serres d'Auteuil** et le **parc de Bagatelle** qui entoure une ravissante demeure construite en 64 jours en 1775 à la suite d'un pari entre Marie-Antoinette et le comte d'Artois.

Parmi les nombreuses installations sportives, voir les **terrains de tennis de Roland-Garros,** que l'on ne présente plus, et les champs de **courses hippiques de Longchamp** et d'**Auteuil**.

À ne pas manquer

***** Grande Arche de la Défense :** point d'orgue d'une longue perspective monumentale.
***** La Malmaison :** délicieux château et jardin de roses de l'impératrice Joséphine.

Ci-contre : *le bois de Boulogne offre un calme quasi campagnard à portée de métro du centre de Paris.*

La Grande Arche de la Défense.

La Défense

Les banlieues de la proche couronne ont beaucoup changé depuis 20 ans. La transformation la plus spectaculaire est celle de la Défense. La **Grande Arche** *(RER : ligne A, Grande Arche)* est un cube de marbre blanc éclatant de 100 m de côté, œuvre de l'architecte danois Otto von Spreckelsen et inauguré en 1989 pour le bicentenaire de la Révolution.

L'étonnant « nuage » sous l'arche est signé de l'ingénieur britannique Peter Rice. Le panorama du sommet est original.

Sur le **parvis de la Défense,** le **Musée automobile** présente de façon très actuelle l'histoire de l'automobile, autour de 110 voitures. Dans le **dôme Imax**, plus grand écran hémisphérique du monde (1 144 m^2), sont projetés des films à effets spéciaux et cinématiques.

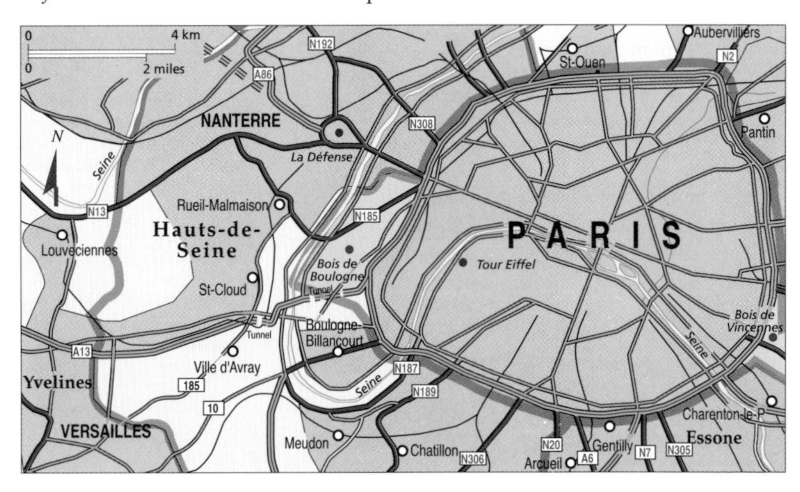

Au XIXe siècle, Viollet-le-Duc restaura la basilique bénédictine de Saint-Denis.

LA DÉFENSE

La Défense tire son nom de la défense de Paris en 1870 et de la statue qui y trônait depuis 1883. La construction de ce quartier d'affaires ultra-moderne a débuté en 1955. Conçu pour préserver le centre d'un engorgement de bureaux, c'est aujourd'hui un vaste quartier de tours regroupées autour d'une esplanade sans âme.Beaucoup de ces immeubles ont été jugés révolutionnaires en leur temps, mais semblent un peu vieillis aujourd'hui. Intéressantes sculptures de Miró, Calder, Agam qui rendent l'ensemble de ces bâtiments moins austère. 35 000 personnes y vivent, 100 000 y travaillent.

MARTYR MOBILE

En 262, Saint-Denis, premier évêque de Paris franchit un pas de trop en profanant des statues de dieux et d'empereurs romains. Il fut arrêté et décapité sur le mont de Mercure (nommé Montmartre en son honneur). Il aurait alors repris sa tête, l'aurait mise sous son bras, et aurait continué son chemin. Il s'arrêta et fut enterré à 6 km de là, près du village de Catoliacus. Saint-Denis est le saint patron de la France.

SAINT-DENIS

Cathédrale Saint-Denis*

Place de la Légion d'honneur (métro : Saint-Denis-Basilique)

La première chapelle édifiée sur la tombe de saint Denis au Ve siècle par sainte Geneviève fut un lieu de pèlerinage important. Au VIIe siècle, le roi Dagobert finança la fondation d'une grande abbaye royale, où furent enterrés les monarques.

En 1122, l'abbé Suger commença les travaux d'une nouvelle église, première de style gothique en France, achevée par Pierre de Montreuil au XIIIe siècle. C'est ici que Henri IV abjura sa foi protestante. Pendant la Révolution, l'église fut profanée et les restes royaux jetés dans une fosse commune. 79 tombes subsistent cepen-

Ci-dessus : *tombes des rois de France dans la cathédrale de Saint-Denis.*
Ci-contre : *détail de carrelage au musée national de la Céramique de Sèvres.*
Ci-dessous : *la Malmaison devint la résidence de Joséphine après son divorce d'avec l'Empereur.*

dant. Au XIXe siècle, Viollet-le-Duc restaura la basilique, aujourd'hui cathédrale.

Le remarquable **musée d'Art et d'Histoire,** *22bis rue Gabriel-Péri,* est un couvent de carmélites qui possède une excellente collection d'arts décoratifs, et de beaux-arts, dont beaucoup de pièces modernes, de matériel d'apothicaires, d'archéologie locale, et de fascinants souvenirs sur la Commune de Paris. La ville a beaucoup investi pour restaurer son centre, construire des bâtiments modernes, comme le siège du journal *L'Humanité* par Niemeyer. Le Stade de France y a ouvert ses portes en 1998.

Autres visites

Malmaison *(RER : ligne A La Défense, puis bus 158 pour Bois-Préau).* En 1800, Napoléon et Joséphine, aidés par les architectes Percier et Fontaine, commencent à transformer cette demeure assez délabrée en résidence digne d'un Premier consul.

Ce ravissant petit château devint la demeure de Joséphine après son divorce en 1809. Elle rappelle les

grands jours de l'Empire. Redouté, dont les charmantes peintures de rose décorent plusieurs murs, faisait partie des jardiniers de l'impératrice. Le **château de Bois-Préau,** *1 avenue de l'Impératrice,* à deux pas, abrite un musée napoléonien.

Vincennes *(métro : Porte Dorée, Château de Vincennes).*

Ancienne réserve de chasse depuis le XIe siècle, le **bois de Vincennes** fut terrain de manœuvres militaires en 1796, avant d'être aménagé en parc dans le goût anglais en 1860. Les jardins d'iris sont fabuleux en saison, mais les plantations peu variées en général. Pour compenser, grand zoo et promenades en barque sur le lac Daumesnil.

Le rébarbatif **château** (1337-1380), comprend un énorme donjon et une copie XVe-XVIe siècle de la Sainte-Chapelle (*voir* p. 32), entourés de fortifications et de douves. Au début du XVIIe siècle, Le Vau ajoute une nouvelle résidence royale et Louis XIV transforme la forteresse en prison. Le château a reçu Henry V d'Angleterre, qui y est mort, Fouquet qui y fut emprisonné, Sade et Mirabeau enfermés et Mata Hari, fusillée. À voir : trois petits musées sur l'histoire du château, des souvenirs militaires et d'alpinisme.

Le fascinant **musée des Arts d'Afrique et d'Océanie,** *293 avenue Daumesnil, XIIe (métro : Porte Dorée)* a été construit à la gloire des colonies françaises pour l'exposition de 1931, et abrite aujourd'hui un vaste musée d'anthropologie sur l'Afrique et l'Océanie ainsi qu'un aquarium tropical.

Saint-Cloud et Sèvres, à 10 km à l'ouest de la capitale *(métro : Pont de Sèvres, Boulogne, Pont de Saint-Cloud).* Seuls les délicieux jardins de Le Nôtre qui offrent un panorama sur Paris et une grande cascade grondante subsistent du château de Hardouin-Mansart (1675) brûlé pendant le siège de Paris en 1870. C'est là que Napoléon avait préparé son coup d'État de 1799.

En bordure du parc, se visite la **manufacture de Sèvres** et le **musée national de la Céramique,** *place de la Manufacture,* qui possède des milliers de pièces du monde entier.

À VOIR ÉGALEMENT

Centre international de l'automobile, *25 rue d'Estienne-d'Orves, Pantin (métro : Hoche, ligne 5).* Collection de rêve de100 voitures ; évocation de Ferrari, Ascari, Fangio et Jim Clark.

Château de Sceaux à 10 km au sud-ouest *(RER : ligne B, Bourg-La-Reine).* Ce pastiche de château du XIXe siècle est aussi le musée de l'Île-de-France. Magnifiques jardins de Le Nôtre.

Musée de l'Air et de l'Espace, le Bourget *(RER : ligne B, Le Bourget, ou bus 350 de la gare de l'Est),* musée historique (150 appareils) sur l'un des premiers aéroports de l'histoire.

La Roseraie de L'Haÿ-les-Roses *(RER ligne B, Bourg-la-Reine, puis bus 192).* Roseraie sublime, créée en 1892, 30 000 espèces sur 5 km de parterres.

10
L'Île-de-France

DISNEYLAND PARIS ***

Version un peu réduite de ses parents américains, Disneyland est visité par plus de 10 millions de personnes chaque année. Quatre zones thématiques s'organisent autour du château de la Belle au bois dormant. En commençant tôt, vous pouvez espérer tout voir en une journée.

De vieilles voitures et calèches parcourent Main Street USA – reproduction d'une petite ville de la côte est vers 1900 – qui est également l'artère des grandes parades (en fin d'après-midi). Chaque zone possède ses propres boutiques, aussi sachez-vous réserver. Au-dessus de l'entrée principale se trouve la première des quatre stations du Disneyland Railroad, un petit train à vapeur qui fait le tour du parc.

Frontierland est le royaume de la conquête de l'Ouest, avec un vapeur à aubes, et le terrifiant grand huit de la Big Thunder Mountain.

Dans **Adventureland,** se trouvent le temple du Péril, la cabane des Robinson, une île avec passerelles de corde, des pirates des Caraïbes et le Passage enchanté d'Aladin.

Le charmant **Fantasyland,** tout de tons pastels, est le royaume de Mickey, de Pluto et de tous les autres : c'est le cœur du rêve Disney et la plus intéressante partie pour les tout-petits, qui peuvent monter sur un Dumbo géant, tourner dans une tasse à thé, essayer plein de manèges, dans une atmosphère de contes de fées où l'on rencontre au hasard Pinocchio, Blanche-Neige et Peter Pan.

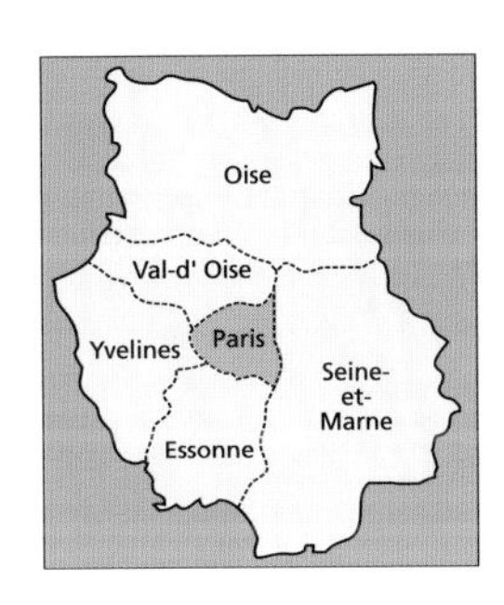

AUTRES PARCS À THÈMES

France Miniature, *Élancourt (RER ligne C, Saint-Quentin-en-Yvelines, et navette).*
Carte de France géante avec maquettes de 166 des principaux monuments français et 15 villages typiques.

Parc Astérix, Plailly (RER ligne B3 à Roissy, puis navette).
Parc populaire à thème ou village des irréductibles Gaulois qu'il sera facile de conquérir une fois le droit d'entrée payé.

Ci-contre : *retrouvez Pluto à Disneyland Paris.*

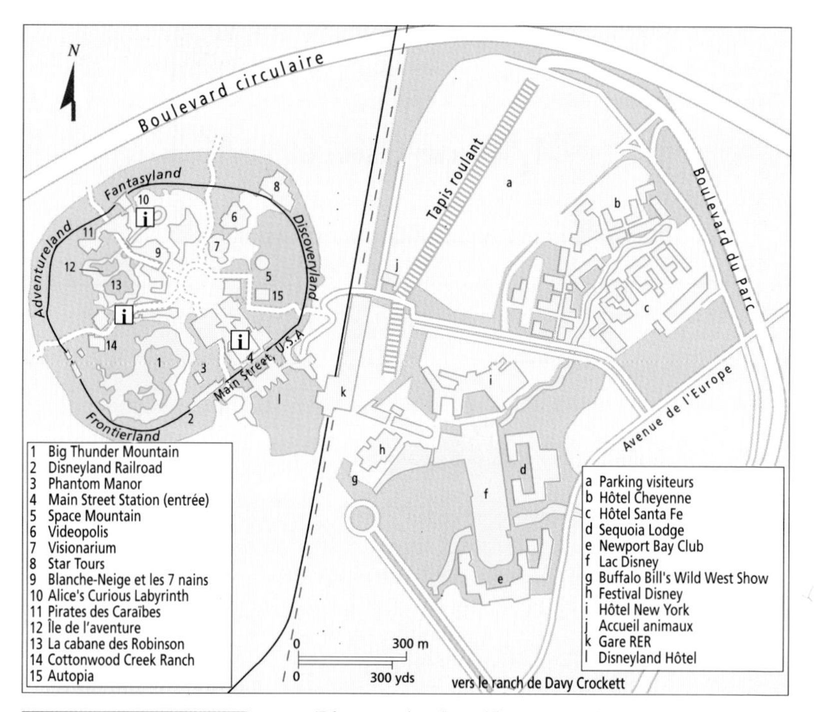

Aperçu sur Disneyland

32 km à l'est de Paris, par l'A4; RER : ligne A4, station Marne-la-Vallée/Chessy.
Passeport d'entrée pour 1, 2 ou 3 jours. Gratuit pour les enfants de - de 2 ans. Réduction pour les 2-11 ans. Manèges et attractions compris dans le prix. Chaises roulantes à louer. Enfants ou objets perdus, messages : City Hall, Main Street. Premiers secours et soins aux bébés près du Plaza Gardens Restaurant, Central Plaza. Informations : 01 64 74 30 00.

Discoveryland est l'hommage de Disney à la science et probablement la section la plus intéressante pour les adultes.

Les attractions comprennent le Visionarium (voyage dans le temps), les Mystères du Nautilus, la Space Mountain, Star Tours (inspiré de *Star Wars*) et une présentation spéciale d'un film de Michael Jackson, *Captain Eo*.

Festival Disney propose des soirées à thèmes, des restaurants, des bars, en dehors du parc même. On y trouve également un spectaculaire **Show Buffalo Bill**, avec barbecue tous les soirs.

Versailles ***

RER : ligne C5 pour Versailles-Rive gauche. Arrivez tôt le matin, avant les bus de voyages organisés. Établissez-vous un programme en fonction des horaires d'ouverture différents des zones, et choisissez des chaussures de marche, car les distances sont longues. Laissez-vous également le temps de parcourir les jardins.

Jusqu'en 1661, lorsque Fouquet eut la maladresse de se montrer plus brillant que le roi (*voir* p. 110), Versailles était un simple relais de chasse. Mais Louis XIV souhaitait le palais le plus vaste, le plus beau et le plus luxueux d'Europe. Il fallut 21 ans aux architectes Hardouin-Mansart et Le Vau pour achever ce bâtiment dont les 680 m de façade laissent bouche bée, même si l'intérieur a été vidé pendant la Révolution et que beaucoup de pièces n'ont pas encore été remeublées. Tout en admirant le décor admirable, faites travailler votre imagination pour reconstituer cette cour étonnante de 20 000 personnes : famille royale, aristocrates, ministres, visiteurs étrangers, serviteurs et même touristes.

Toute personne présentable pouvait entrer et regarder. Le lever et le coucher du roi étaient très recherchés, et même la reine devait demander audience pour voir ses enfants.

LE ROI-SOLEIL

Louis XIV (1643-1715) monte sur le trône en 1643 à l'âge de 5 ans, sa mère, Anne d'Autriche assurant la régence. Il n'accède au pouvoir qu'à la mort du cardinal Mazarin, en 1661. En 1660, il épouse l'infante Marie-Thérèse d'Espagne. Durant 38 ans, il sera en guerre avec l'Espagne, les Pays-Bas, l'Allemagne et l'Italie, pendant que son ministre Colbert renforce la puissance de l'État et de la centralisation. Louis XIV est aussi le flamboyant Roi-Soleil, qui s'identifiait avec Apollon dans des pièces de théâtre, dépensait des sommes pharamineuses pour son plaisir, et ruinait le pays.

Le château

Le petit château d'origine de Louis XIII existe encore au fond de la **cour de marbre,** pris entre deux énormes ailes.

Le site de Versailles étant marécageux, des armées d'ouvriers le drainèrent et le remirent à niveau.

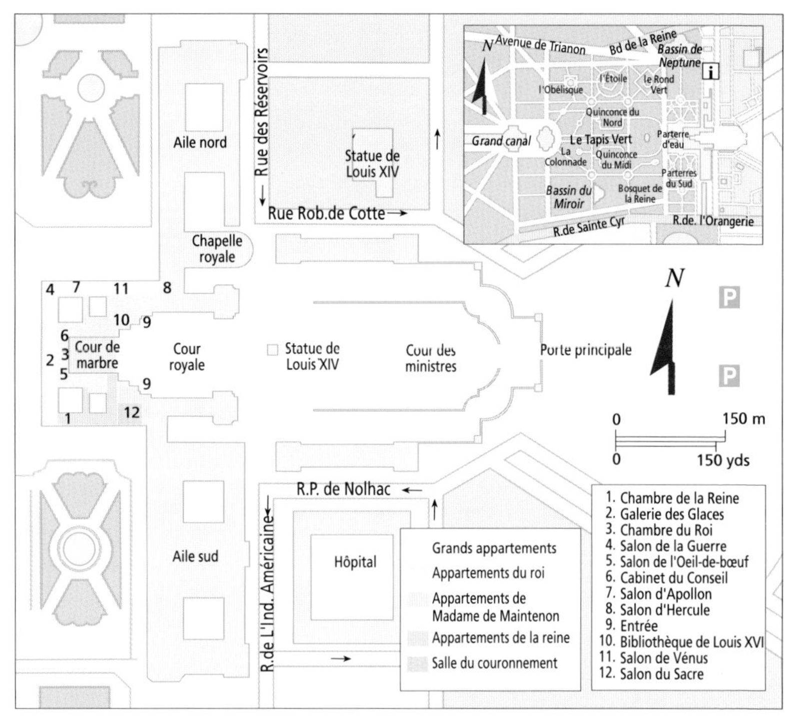

Le Nôtre

André Le Nôtre (1613-1700) fut le plus brillant créateur de jardins « à la française », inspirés du jardin classique de la Renaissance italienne du XVIIe siècle. Responsable de ceux de Vaux-le-Vicomte, il fut choisi par Louis XIV pour dessiner ceux de Versailles. Il y réalisa un chef-d'œuvre, répartissant terrasses, parterres de broderie, bosquets, allées et donnant un rôle essentiel à l'eau des bassins.

Dans l'aile nord est aménagé le somptueux **Opéra royal,** tout en faux marbre, terminé en 1770, pour le mariage de Louis XVI et de Marie-Antoinette, et la très pure **Chapelle royale** de Robert de Cotte (1710), ainsi que les **grands appartements** surchargés d'or et de décors. Le salon d'Apollon faisait office de salle du trône ; celui de Mercure était la chambre à coucher officielle, celui de Diane une salle de jeux, et celui de Mars, une salle de bal. La pièce la plus splendide est certainement la **galerie des Glaces** (80 m de long), aux 17 hautes baies disposées de façon à ce que le soleil couchant se reflète dans ses miroirs.

C'est ici que Bismarck fit du Kaiser le souverain de l'Allemagne unifiée, et qu'en novembre 1919, l'Allemagne signa le traité de Versailles, qui marque la fin de la Première Guerre mondiale.

À partir de 1727, Louis XV chargea Gabriel de créer les **petits cabinets**, charmantes pièces de dimensions plus humaines qui devinrent les appartements de Madame du Barry, la puissante maîtresse du roi. En 1738, le monarque se fit aménager de nouveaux appartements à superbes boiseries de Verbekt.

Ceux de la reine (aile sud), conçus à l'origine pour Marie Leczinska en 1729, sont aujourd'hui meublés comme sous Marie-Antoinette.

Ouvert tous les jours sauf lundi et jours fériés, du 1er octobre au 30 avril de 9 h à 17 h 30, du 2 mai au 30 septembre de 9 h à 18 h 30 ; visite libre, avec audioguide, ou commentée (réservation au 01 30 84 75 43).

À NE PAS MANQUER

*** **Versailles :** un rêve de palais.
*** **Disneyland Paris :** tentative de Disney pour faire oublier Versailles.

Les jardins

Sublimes, les jardins de Le Nôtre, récemment restaurés, sont immenses. Directement devant le château s'étend une terrasse de dessin à la française avec pelouses, bassins et allées, parsemée de quelque 200 magnifiques statues, dont beaucoup furent jadis dorées. Au-delà, le grand et le petit canal permettaient de se promener en barque ou en gondole au son d'un orchestre dirigé par Lully sur une barge.

À droite, se dresse le **Grand Trianon.** Dans le premier pavillon construit, Louis XIV retrouvait sa maîtresse, Madame de Montespan. Le bâtiment actuel, construit par Mansart (1687), devint une cour dans la cour où seuls les intimes et les favoris

La chambre superbement décorée et dorée du Roi-Soleil à Versailles.

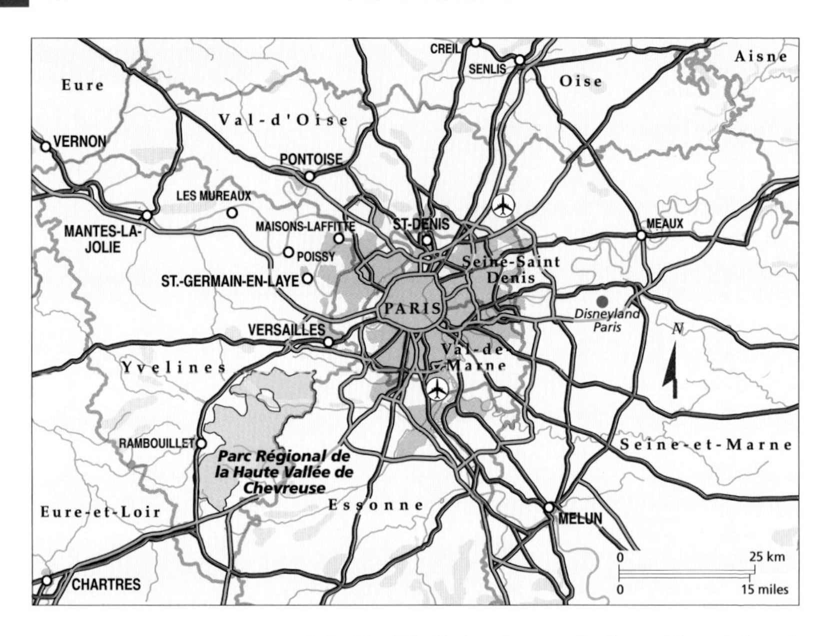

étaient invités. Restauré avec soin, il possède maintenant les appartements les plus confortablement décorés de Versailles, qui donnent une bonne idée du luxe de la vie de cour. Une autre maîtresse royale, Madame de Pompadour, fit construire la Nouvelle Ménagerie, sorte de ferme autour du **Pavillon français.** En 1761, des jardins botaniques furent plantés tout autour, puis transformés en un parc à l'anglaise, style préféré de Marie-Antoinette. En 1762, commencèrent les travaux du **Petit Trianon** pour Louis XV, un tout petit palais presque parfait, dessiné par Gabriel. Louis XVI l'offrit à sa charmante et frivole épouse, Marie-Antoinette (1755-1793) qui y passa ses plus heureux moments avec quelques intimes. Elle dépensa des sommes énormes à remodeler les jardins environnants en campagne artificielle et construire un village de fantaisie, le **Hameau**, où elle s'amusait à jouer à la fermière, pendant que de vrais paysans travaillaient à la laiterie et au moulin. Elle s'y trouvait lorsque la foule attaqua le palais à la Révolution.

Les jardins sont ouverts de 7 h du matin au coucher

AUTRES VISITES

Abbaye de Royaumont,
Asnières-sur-Oise, 30 km au nord de Paris.
Abbaye cistercienne merveilleusement préservée, fondée par saint Louis en 1228.

Musée de la Photographie
Bièvres (RER : ligne C, Massy-Palaiseau, puis bus 2002 pour Sérinet). Remarquable collection, hommage à une invention française.

du soleil, fermés en cas d'intempéries ou de cérémonies officielles. Pour tous renseignements, tél. 01 30 84 74 00. La visite est gratuite sauf les jours de Grandes Eaux musicales.

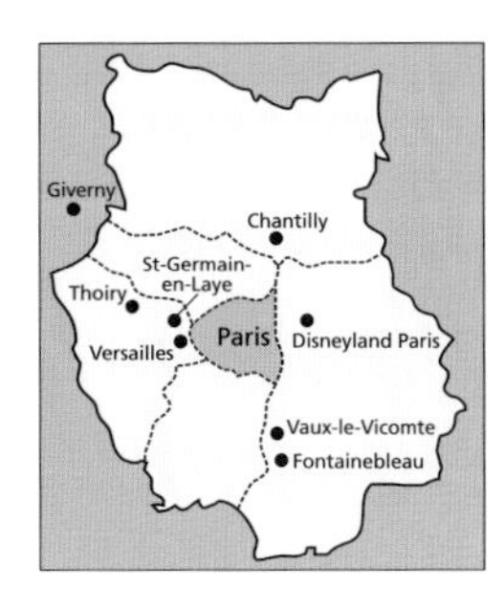

Autres visites

Fontainebleau ***

À 60 km au sud-est de Paris (train de la gare de Lyon, gare de Fontainebleau-Avon, puis bus A ou B).

Louis le Gros (1108-1137) fit de ces immenses forêts une chasse royale. En 1527, François Ier détruisit une vieille forteresse et demanda à l'architecte Gilles le Breton de lui édifier un charmant château Renaissance. Lieu de villégiature favori de plusieurs souverains, chacun l'agrandit, le démolit, ou le transforma. Pendant la Révolution, il fut pillé, le canal drainé et les poissons vendus. C'est une visite passionnante qui donne un grands sens de continuité historique.

Napoléon aimait Fontainebleau et y séjourna souvent. Il y signa son abdication le 6 avril 1814 dans la cour des Adieux. Le musée Napoléon Ier illustre la vie quotidienne au château à cette époque.

Chartres **

À 85 km au sud-ouest de Paris (train de la Gare Montparnasse, gare de Chartres).

Comme Notre-Dame, la magnifique cathédrale de Chartres s'élève en un lieu sacré depuis la plus haute antiquité. Une première église chrétienne y fut élevée au IVe siècle, qui devint un grand centre de pèlerinage en 876 lorsque le petit-fils de Charlemagne lui offrit la Sainte Chemise, qui aurait été portée par Marie lorsqu'elle donna naissance au

La merveilleuse cathédrale de Chartres, renommée pour ses vitraux raffinés, et en particulier pour la couleur « bleu de Chartres ».

Christ. La crypte de la cathédrale actuelle date de 1024, tandis que la nef gothique, qui s'élève au-dessus du centre ancien de la ville, a été édifiée au début du XIIIe siècle.

Elle possède 150 extraordinaires vitraux du XIIIe siècle, inspirés de la Bible et de la vie des paysans, des princes et de leurs donateurs. Les marchandes de l'époque firent ainsi don de 42 vitraux, chacun illustrant le travail d'une corporation. Les ruelles autour de la cathédrale sont bordées de jolies maisons à colombage, de plusieurs églises. Musée des Beaux-Arts.

Saint-Germain-en-Laye *

18 km à l'ouest de Paris (RER : ligne A).

Le premier château dominant la Seine fut élevé ici en 1124. Le plus ancien bâtiment conservé est la délicate Sainte-Chapelle du XIIIe siècle, édifiée pour Saint Louis. Le château actuel fut construit par François Ier, et de ses agrandissements par Philibert de l'Orme, en 1557, ne restent que le pavillon Henri IV.

Louis XIV y est né, s'y réfugia pendant la Fronde et y séjourna jusqu'à ce que Versailles soit achevé. Depuis 1885, le château abrite le **musée des Antiquités nationales.**

L'ancien hôpital du XVIIe siècle, l'hôpital général royal, *2 bis rue Maurice-Denis*, est le siège de l'important musée Maurice-Denis consacré à l'artiste et à ses amis, avec des œuvres de Gauguin, Bonnard, Vuillard, Mondrian et Lalique.

Vaux-le-Vicomte *

Maincy, 50 km au sud-est de Paris (train de la gare de Lyon, gare de Melun, puis taxi).

Ce magnifique château fut construit par Le Vau pour le ministre des Finances de Louis XIV, Fouquet, en 1661. Le projet a été mené à bien en cinq ans.

Somptueusement décoré (fresques de Le Brun dans le grand salon, et beaux jardins de Le Nôtre), il est reconnu comme l'un des plus beaux châteaux d'île-de-France, et une des références de Versailles.

AUTRES CHÂTEAUX

Dampierre, *Dampierre-en-Yvelines, 36 km au sud-ouest de Paris.* Superbe et digne château de pierre et brique du XVIIe, entouré de jardins de fleurs à la française.
Écouen, *20 km au nord de Paris (métro : ligne 13, Saint-Denis-Porte-de-Paris, puis bus 268C, ou train de la gare du Nord, gare d'Écouen-Ezanville).* Très élégant château début XVIe, qui abrite le **musée national de la Renaissance.**
Milly-la-Forêt, *55 km au sud de Paris. Voir surtout le château de Courances,* aux magnifiques jardins XVIIe. Jolies expositions dans le village, consacrées à des peintres comme Rousseau, Daubigny et Millet, et programme audiovisuel sur le poète Jean Cocteau.

ÉCLIPSER LE SOLEIL

En 1661, Fouquet invite le Roi-Soleil et la cour à une grande fête pour célébrer son superbe nouveau château, Vaux-le-Vicomte. Louis, malade de jalousie, fait arrêter son ministre par un mousquetaire (d'Artagnan) le dépouille de ses titres et possessions et l'exile. Pour rivaliser avec Vaux, il lance son grand projet, Versailles.

Chantilly *

35 km au nord de Paris (train de la gare du Nord, gare de Chantilly).

Deux châteaux Renaissance, très modifiés au XIXe siècle, s'élèvent côte à côte dans de superbes jardins de Le Nôtre, dessinés pour le prince de Condé (1621-1686).

Magnifique décoration et mobilier, mais le trésor du musée reste le manuscrit enluminé du XVe siècle, *Les Très Riches Heures du duc de Berry*. Chantilly possède également l'un des premiers champs de courses hippiques de France.

Auvers-sur-Oise

40 km nord-ouest de Paris (RER : ligne A, gare de Cergy-Préfecture, puis navette).

Ce ravissant village fut aimé de nombreux peintres tels Cézanne, Corot, Morisot, Daubigny et les impressionnistes Pissarro et Renoir. Vous pouvez voir la tombe de Van Gogh et la pièce où il est mort en 1890. Dans le château du XVIIe siècle parcours-spectacle sophistiqué sur la vie et l'œuvre de ces grands artistes.

Giverny *

80 km de Paris (train de la gare Saint-Lazare, gare de Vernon, puis taxi).

Claude Monet, l'un des plus grands impressionnistes, vécut dans cette belle maison de campagne remplie de ses souvenirs, de 1883 à sa mort en 1926. Il créa le luxuriant jardin qu'il peignit sans relâche, en particulier dans la série des *Nymphéas*. Ses toiles devinrent de plus en plus grandes et abstraites au fur et à mesure qu'il perdait la vue.

Thoiry

40 km à l'ouest de Paris (train de la gare Montparnasse, gare de Montfort-l'Amaury, puis bus ou taxi).

Chacun peut trouver son plaisir dans ce château joliment meublé, construit en 1564, qui abrite aujourd'hui le **musée des Archives,** ou dans 100 hectares de jardins magnifiques, avec parterres à la française, parc anglais, et un zoo ouvert avec ours, éléphants, tigres, oiseaux, train miniature et parc pour petits animaux.

Monet prit souvent pour sujet son jardin de Giverny, en particulier dans sa superbe série des Nymphéas.

METRO

Paris en un coup d'œil

Informations touristiques

Office de tourisme et des congrès de Paris,
127 av. des Champs-Élysées, VIIIe ; tél. : 01 49 52 53 54 (métro : Étoile/George V). Ouvert 9 h-20 h tous les jours. Toutes les infos au même endroit. Autres bureaux d'information à la **mairie de Paris** (29 rue de Rivoli, IVe ; tél. : 01 42 76 43 43 ; métro : Hôtel-de-Ville) à la **gare du Nord** (tél. : 01 45 26 94 82), à la **gare de Lyon** (tél. : 01 43 43 33 24).

Moyens de transport

Paris possède un excellent réseau de transports publics : métro et bus (RATP), RER et trains de banlieues (SNCF).

Billets
Le même billet sert à tous les transports dans Paris. Les transports régionaux se répartissent selon 8 zones, Paris étant la zone 1. Dès que vous passez le périphérique vous devez prendre un billet plus cher. Achetez vos billets par carnets, avec 40 % de réduction. Des billets touristiques « Paris Visite » sont proposés pour 1, 3 ou 5 jours, ainsi que des cartes hebdomadaires ou mensuelles (Carte orange, avec pièce d'identité et photo). Le coût dépend du nombre de zones. Tous les billets sont disponibles à toutes les stations de métro, du RER et de la SNCF. Les cartes Paris Visite et Formule I se trouvent également dans les offices de tourisme et certains bureaux de tabac.
Informations dans les stations de métro et au :
01 36 68 77 14 (2,23 F la mn) ou aux agences de la RATP.

Plans
La RATP offre des plans de Paris et de son réseau, ainsi que plusieurs grands magasins. **Paris par arrondissement** (éditions de l'Indispensable) est le meilleur plan détaillé, vendu dans les kiosques à journaux et en librairie.

Le métro
Il fonctionne de 5 h 30 à 1 h. Les lignes sont numérotées et possèdent un code couleur, mais les Parisiens utilisent encore leur nom composé des deux terminus de la ligne. Les correspondances sont indiquées sur les quais par des panneaux à bandeau orange.

Le RER
C'est un métro rapide de 4 lignes qui s'arrête à peu de stations parisiennes, mais dessert essentiellement la banlieue.

Les bus
Pratiques pendant la journée, sauf embouteillages, ils sont rares après 20 h 30 et le dimanche. Leur itinéraire est affiché à chaque poteau d'arrêt. Un ticket suffit pour aller n'importe où dans Paris intramuros. Pour la banlieue, vous devez en composter 2 ou plus. Compostage obligatoire, sauf pour les billets spéciaux ou Cartes Orange qui se présentent au conducteur. Un bus de nuit, le Noctambus (1 h 30 - 5 h 30), part de l'avenue Victoria (Châtelet) vers les banlieues. Le métro, RER et bus parisien, tél. : 08 36 68 77 14.

Taxis
Nombreux. 487 stations. Au-dessus du chauffeur, une lumière blanche signale qu'il est libre, orange qu'il est occupé. Les prix varient selon les horaires, 7 h - 19 h, 19 h - 7 h, et augmentent dès que vous passez le périphérique.

PARIS	J	F	M	A	M	J	J	A	S	O	N	D
Temp. max. moy. °C	6	7	12	16	20	23	25	24	21	16	10	7
Temp. min.moy. °C	1	1	4	6	10	13	15	14	12	8	5	2
Pluviométrie (mm)	56	46	35	42	57	54	59	64	55	50	51	50
Jours de pluie	17	14	12	13	12	12	12	13	13	13	15	16

Paris en un coup d'œil

Suppléments à certaines stations, terminaux Air France, pour les bagages, pour plus de 3 passagers, et les animaux.
Évitez les taxis non officiels.
Quelques numéros d'appel de compagnies :
Alpha (01 45 85 85 85) ;
Aéro Taxi (01 41 27 66 66), service de taxis à destination des aéroports ;
Artaxi (01 42 41 50 50) ;
G7 (01 47 39 47 39) ;
Taxi Bleu (01 49 36 10 10) ;
Taxis Radio Étoile (01 41 27 27 27).

HÉBERGEMENT

Toutes sortes d'hôtels coexistent à Paris, sans être vraiment bon marché.
Les prix sont donnés par chambre et non par personne.
Réservez pour la saison haute, printemps et automne.
Vérifiez si les hôtels économiques acceptent votre carte de crédit.

Bureaux de réservation
Paris Séjour Réservation 90 av. des Champs-Élysées, VIIIe ; tél.: 01 53 89 10 50, fax : 01 53 89 10 59, *(métro : George V)*. Hôtels et appartements temporaires.
Tourisme chez l'habitant, 15 rue des Pas-Perdus, 95804 Cergy-Saint-Christophe, tél. : 01 34 25 44 44, fax : 01 34 25 44 45.

Logement chez l'habitant, minimum 2 nuits.
L'Office de tourisme propose un bureau de réservation. La plupart des chaînes internationales possèdent un établissement à Paris.
Le Groupe Accor (Formule 1, Novotel, Mercure, Ibis et Sofitel) en possède 29, tél. : 01 60 87 44 01, ct Timhotel 10, tél. : 01 44 15 81 15.

Palaces
Quelque hôtels de haut luxe qui sont pratiquement des attractions en soi, et très chers, cela va de soi.
Le Bristol, 112 rue Fbg-Saint-Honoré,VIIIe ; tél. : 01 53 43 43 00, fax : 01 53 43 43 01 *(métro : Champs-Élysées-Clemenceau)*
Le Crillon, 10 place de la Concorde, VIIIe ; tél. : 01 44 71 15 00, fax : 01 44 71 15 02 *(métro : Concorde)*
L'Intercontinental, 3 rue de Castiglione, Ier ; tél. : 01 44 77 11 11, fax : 01 44 77 14 60 *(métro : Tuileries, Concorde)*
Le Plaza Athénée, 25 av. Montaigne, VIIIe ; tél. : 01 53 67 66 65, fax : 01 53 67 66 66 *(métro : Franklin D. Roosevelt).*
Le Ritz, 15 place Vendôme, Ier ; tél. : 01 43 16 30 30, fax : 01 43 16 31 78 *(métro : Tuileries).*

Hébergement des jeunes
Fédération unie des Auberges de jeunesse, 27 rue Pajol, XVIIIe ; tél. : 01 44 89 87 10 *(métro : Porte de la Chapelle).*
Accueil des jeunes en France, 112 rue de Maubeuge, Xe ; tél. : 01 42 85 36 13 *(métro : Gare du Nord).* Plus de 5 000 lits économiques dans Paris pour les 18-30 ans.

Adresses d'hôtels
Les îles
Merveilleux quartier, central mais calme et bien situé pour les restaurants, les promenades nocturnes et les visites.

Luxe
Jeu de Paume, 54 rue Saint-Louis-en-L'Îsle, IVe ; tél. : 01 43 26 14 18 ; fax : 01 40 46 02 76 *(métro : Pont Marie, Sully-Morland).* Un jeu de paume du XVIIe siècle, traité dans un luxe discret.
Deux Îles, 59 rue Saint-Louis-en-l'île, IVe ; tél. : 01 43 26 13 35 ; fax : 01 43 29 60 25 *(métro : Pont Marie, Sully-Morland).* Charmante demeure du XVIIe siècle.

ÉCONOMIQUE
Henri IV, 25 place Dauphine, Ier ; tél. : 01 43 54 44 53 *(métro : Pont Neuf).* Très simple et très populaire.

Paris en un coup d'œil

Beaubourg, les Halles, le Marais, la Bastille
Excellent quartier central, agréable pour se promener, petits restaurants, beaucoup de petits hôtels.

Luxe
Le Pavillon de la Reine, 28 place des Vosges, IIIe ; tél. : 01 42 77 96 40 ; fax : 01 42 77 63 06 *(métro : Chemin Vert, Saint-Paul).* Petite résidence élégante dans une cour aménagée, en retrait d'une des plus belles places de Paris.
La Bretonnerie, 22 rue Sainte-Croix-de-la-Bretonnerie, IVe ; tél. : 01 48 87 77 63 ; fax : 01 42 77 26 78 *(métro : Hôtel de Ville).* Petit et confortable, hôtel du XVIIe siècle meublé en ancien.

À prix modéré
Saint Merri, 78 rue de la Verrerie, IVe ; tél. : 01 42 78 14 15 ; fax :01 40 29 06 82 *(métro : Hôtel de Ville).* Presbytère du XVIIe et maison close du XIXe, meublés en brocante troubadour.

Économique
Castex, 5 rue Castex, IVe ; tél. : 01 42 72 31 52 ; fax : 01 42 72 57 91 *(métro : Bastille).* Populaire, bon marché et sympathique.

Montmartre et le Nord-Est
Un peu à l'écart, mais parfait pour un séjour économique, et des nuits animées. Nombreux hôtels près des gares, certains douteux.

Luxe
Terrass, 12 rue Joseph-de-Maistre, XVIIIe ; tél. : 01 46 06 72 85 ; fax : 01 42 52 29 11 *(métro : Blanche).* Charmant décor, bon restaurant et belle vue.

À prix modéré
Prima-Lepic, 29 rue Lepic, XVIIIe ; tél. : 01 46 06 44 64 ; fax : 01 46 06 66 11 *(métro : Abbesses).* Jolie maison aérée au cœur de Montmartre.

Économique
Du Marché, 6 passage du Marché St Martin, X^e ; tél. : 01 42 06 44 53 ; fax : 01 42 40 03 40 *(métro : Strasbourg-Saint-Denis, Château d'Eau).* Simple, confortable, un peu en dehors des circuits, mais très bon marché.

Louvre et Opéra
Quartier pratique mais sans beaucoup de charme, peu excitant la nuit. Beaux palaces anciens.

Luxe
Régina, 2 place des Pyramides, Ier ; tél. : 01 42 60 31 10 *(métro : Tuileries).* Ravissant décor début de siècle, meubles anciens, souvent utilisé comme décor de films.
Tuileries, 10 rue Saint-Hyacinthe, Ier ; tél. : 01 42 61 04 17 *(métro : Tuileries).*

À prix modéré
Gaillon-Opéra, 9 rue Gaillon, IIe ; tél. : 01 42 42 47 74 *(métro : Opéra, Quatre-Septembre).* Accueil chaleureux dans un cadre XIXe à poutres apparentes et rideaux fleuris.

Nord-Ouest : Rive droite
Quelques-un des meilleurs hôtels parisiens. Argent et célébrités. Vie nocturne autour des Champs-Élysées. Cher.

Luxe
Balzac, 6 rue Balzac, VIIIe ; tél. : 01 45 97 22 ; fax : 01 42 25 24 82 *(métro : George V).* Petit, discret mais extrêmement luxueux ; très bon restaurant.
Résidence Lord Byron, 5 rue Châteaubriand, VIIIe ; tél. : 01 43 59 89 98 ; fax : 01 42 89 46 04 *(métro : George V).* Petit hôtel agréable, sur cour. Porte à côté, le Mayflower est sous la même direction.

Tour Eiffel, Invalides et musée d'Orsay
Assez tranquille et neutre, ce

Paris en un coup d'œil

quartier est bien situé et les prix plus bas que sur l'autre rive.

Luxe

Duc de Saint-Simon, 14 rue de Saint-Simon, VIIe ;
tél. : 01 44 39 20 20,
fax : 01 45 48 68 20 *(métro : Bac)*. Élégant petit hôtel autour d'un jardin fleuri.

À prix modéré

Le Pavillon, 54 rue Saint-Dominique, VIIe ;
tél. : 45 51 42 87,
fax : 01 45 51 42 87 *(métro : Invalides, Solférino).* Ancien couvent, petite chambres, beaucoup de charme.

Thoumieux, 79 rue Saint-Dominique, VIIe ;
tél. : 01 47 05 49 75,
fax : 01 47 05 36 96 *(métro : Invalides, Solférino).*
10 chambres confortables mais simples, et un très bon restaurant à l'ancienne.

Rive gauche et Montparnasse

Quartier vivant, nombreux hôtels de milieu de gamme, et restaurants. Bon choix pour un séjour.

Luxe

Hôtel Guy-Louis Duboucheron, 13 rue des Beaux-Arts, VIe ;
tél. : 01 43 25 27 22,
fax : 01 43 25 64 81 *(métro : Saint-Germain-des-Prés).* Oscar Wilde mourut dans cette maison dans la misère en 1900. Mobilier magnifique et extravagant.
Rénové en 1968 : la chambre 16 est une reconstitution de celle de Wilde. La 36 possède un mobilier Art déco de Mistinguett.

Hôtel d'Angleterre, 44 rue Jacob, VIe ;
tél. : 01 42 60 34 72,
fax : 01 42 60 16 93 *(métro : Saint-Germain-des-Prés).* Jadis ambassade britannique, maison d'Hemingway, le traité de la guerre d'Indépendance américaine y fut préparé mais non signé puisque Franklin refusait de fouler le « sol » anglais. L'hôtel est charmant, confortable et paisible. Petite cour fleurie.

Sainte-Beuve, 9 rue Sainte-Beuve, VIe ;
tél. : 01 45 48 20 07,
fax : 01 45 48 67 52
(*métro : Notre-Dame-des-Champs, Vavin) ;* Petit hôtel mélangeant avec succès élégance et chaleur de l'accueil.

À prix modéré

Welcome Hôtel, *66 rue de Seine, VIe ;*
tél. : 01 46 34 24 80,
fax : 01 40 46 81 59 *(métro : Odéon).* Chaleureux et cordial, sur une rue animée, au-dessus du marché de Buci.

Esméralda, 4 rue Saint-Julien-le-Pauvre, Ve ;
tél. : 01 43 54 19 20,
fax : 01 40 51 00 68 *(métro : Saint-Michel).* Petit hôtel du XVe siècle, au décor excentrique et charmant.

Restaurants et cafés

Île-de-France

Disneyland Paris, Marne-la-Vallée/Chessy offre 6 énormes hôtels à thème et des restaurants. Pour informations et réservations appeler le 01 60 305 305.

Paris compte plus de restaurants par habitant que n'importe quelle autre ville du monde. La liste qui suit n'est donc qu'une ébauche du merveilleux choix qui vous est offert. En dehors des petits restaurants, vous avez peut-être intérêt à regarder du côté des chaînes comme **Hippopotamus,** ou **Flo** (plus cher), les pizzeria **Il Teatro**, les nombreux **Batifol**, ou dans les « annexes » ouvertes par de grands chefs à leur établissement principal.
Voir aussi p. 26-29.

Les Îles

Auberge de la Reine-Blanche, 30 rue Saint-Louis-en-l'Île, IVe ;
tél. : 01 46 33 07 87 *(métro : Pont Marie).* Charmant petit restaurant au bon accueil, décoré de meubles de poupée. Prix moyens.

Au Franc Pinot, 1 quai de

Paris en un coup d'œil

Bourbon, IVe ;
tél. : 01 46 33 60 64 *(métro : Pont Marie)*.
Excellent restaurant traditionnel en cave, et bar à vin au rez-de-chaussée. De modéré à cher.
Au Monde des Chimères, 69 rue Saint Louis-en-l'Île, IVe ; tél. : 01 43 54 45 27 (*métro : Pont Marie)* Bistrot familial rustique et sympathique. Cuisine traditionnelle. Prix modérés.
Le Vieux Bistro, 14 rue du Cloître-Notre-Dame, IVe ;
tél. : 01 43 54 18 95 *(métro : Cité)*. Honorable exception aux gargottes de l'île de la Cité. Cuisine traditionnelle et atmosphère chaleureuse.
Prix modérés.
Brasserie de l'Île Saint-Louis, 55 quai de Bourbon, IVe ; tél. : 01 43 54 02 59 *(métro : Pont Marie)*. Brasserie décontractée très fréquentée, spécialisée dans la cuisine alsacienne. Prix modérés.
Berthillon, 312 rue Saint-Louis-en-l'Île, IVe ;
tél. : 01 43 54 31 61 *(métro : Pont Marie)*. Supposé offrir les meilleurs glaces et sorbets de France. 60 parfums. Queue permanente, mais d'autres cafés de l'île les vendent également.

Beaubourg, les Halles, le Marais et la Bastille
L'Ambroisie, 9 place des Vosges, IVe ;
tél. : 01 42 78 51 45. 3 étoiles Michelin. Superbe décor. À réserver longtemps à l'avance. Très cher.
Au Pied de Cochon, 6 rue Coquillière, Ier ;
tél. : 01 40 13 77 00 *(métro : Les Halles)*. Grande institution, ouverte 24h/24. Jadis bistrot des travailleurs des Halles qui prenaient un petit déjeuner de pied de cochon et de soupe à l'oignon après une nuit de labeur. Prix raisonnables.
Bofinger, 5 rue de la Bastille, IVe ; tél. : 01 42 72 87 82 *(métro : Chemin Vert, Bastille)*. Fruits de mer, 100 ans de traditions et délicieux décor début de siècle.
Chicago Meatpackers, 8 rue Coquillière, Ier ;
tél. : 01 40 28 02 33 *(métro : Les Halles)*. T-Bones et travers de porc pour Américains nostalgiques.
La Guirlande de Julie, 25 place des Vosges, IIIe ;
tél. : 01 48 87 94 07 et
Coconnas, 2 bis place des Vosges, IVe ;
tél. : 01 42 78 58 16 *(métro : Saint-Paul, Chemin Vert)*.
Deux charmants établissements servant une cuisine classique sous la supervision de Claude Terrail, de la Tour d'Argent.
Jo Goldenberg, 7 rue des Rosiers, IVe ;
tél. : 01 48 87 20 16 *(métro : Saint-Paul)*. Un des meilleurs restaurants et traiteurs juifs de Paris.
Miravile, 72 quai de l'Hôtel-de-Ville, IVe ;
tél. : 01 42 74 72 22 *(métro : Hôtel de Ville)*. Établissement élégant et décontracté. Cuisine exquise, d'inspiration nettement provençale. Réserver d'avance. Très cher.

Montmartre et le Nord-Est
Beauvilliers, 52 rue Lamarck, XVIIIe ; tél. : 01 42 54 54 42 *(métro : Lamarck-Caulaincourt)*. Incroyable décor surchargé et baroque Belle Époque, terrasse découverte. Un des meilleurs restaurants de Montmartre. Cher.
Brasserie Wepler, 14 place de Clichy, XVIIIe ;
tél. : 01 45 22 53 24 *(métro : Place de Clichy)*. Essayez le banc de fruits de mer de cette brasserie centenaire.
Prix modérés.
Haynes, 3 rue Clauzel, IXe ;
tél. : 01 48 78 40 63
(métro : Saint-Georges).
Vieux restaurant américain, nourriture épicée et jazz cool.
Bon marché.
Le Restaurant, 32 rue Véron, XVIIIe ; tél. : 01 42 23 06 22 *(métro : Blanche, Abbesses)*.
Sympa, menu actuel, plein d'imagination. Prix modérés.
Le Sagittaire, 77 rue Lamarck, XVIIIe ;
tél. : 01 42 55 17 40 *(métro : Lamarck-Caulaincourt)*. Petit restaurant intime, cuisine

Paris en un coup d'œil

traditionnelle et petits prix. La place du Tertre est cernée de cafés et de restaurants. La plupart servent une cuisine convenable, mais les prix sont trop élevés.

Le Louvre et l'Opéra

À la Grille Saint-Honoré, 15 place du Marché Saint-Honoré, Ier ; tél. : 01 42 61 00 93 *(métro : Tuileries)*. Excellent petit établissement spécialisé dans le gibier. Prix modérés.
Angelina, 228 rue de Rivoli, Ier ; tél. : 01 42 60 82 00 *(métro : Tuileries)*. Chic, clientèle de célébrités, décor doré, atmosphère à l'ancienne. Cher.
Chartier, 7 rue du Fbg-Montmartre, IXe ; tél. : 01 47 70 86 29 *(métro : Rue Montmartre)*. Caverneux établissement, ancien bouillon pour ouvriers fondé en 1892. Menu toujours appétissant et économique, service étonnant et curieux décor fin de siècle.
Country Life, 6 rue Daunou, IIe ; tél. : 01 42 60 49 67 *(métro : Opéra)*. Une rareté à Paris : un bon restaurant végétarien et pas cher.
Fellini, 47 rue de l'Arbre-Sec, Ier ; tél. : 01 42 60 90 66 *(métro : Louvre)*. Élégant et plein d'imagination, carte italienne. Prix modérés.
Le Grand Colbert, 4 rue Vivienne, IIe ; tél. : 01 42 86 87 88 *(métro : Bourse)*. Belle brasserie classique ouverte en 1830, fréquentée en sortie de théâtre. Ouvert tard. Assez cher.
Willi's Wine Bar, 13 rue des Petits-Champs, Ier ; tél. : 01 42 61 05 09 *(métro : Bourse, Palais-Royal)*. Bar à vin tenu par un Anglais, joli décor, menu original, bonne sélection de côtes-du-rhône. Prix modérés à cher.
Également dans le quartier, essayer les restaurants des palaces, dont le **Ritz**, l'**Intercontinental**, et le **Meurice** (*voir* p. 114).

Nord-ouest de Paris : la rive droite

Chicago Pizza Pie Factory, 5 rue de Berri, VIIIe ; tél. : 01 45 62 50 23 *(métro : George V)*. Comme son nom l'indique. Prix modérés.
Fauchon, 30 place de la Madeleine, VIIIe ; tél. : 01 47 42 56 58 *(métro : Madeleine)*. Complexe de cafétérias, bar et restaurant dans ce temple de l'alimentation chic et coûteuse. Essayez le menu, faites vos courses ensuite. Cher.
L'Alsace, *39 avenue des Champs-Élysées,* VIIIe ; tél. : 01 53 93 97 00 *(métro : Franklin Roosevelt)*. Vaste et bourdonnante d'animation, une vraie brasserie alsacienne.
Lucas Carton, 9 place de la Madeleine, VIIIe ; tél. : 01 42 65 22 90 (*métro : Madeleine)*. Décor raffiné, cuisine merveilleusement créative d'Alain Senderens. 3 étoiles Michelin. Réserver. Très cher.
Maxim's, 3 rue Royale, VIIIe ; tél. : 01 42 65 27 94 *(métro : Concorde)*. Institution depuis plus d'un siècle, immeuble classé, cuisine classique plutôt bonne, musique. Réserver ; très cher.
Le quartier compte de nombreux grands restaurants, dont **Chiberta**, **Laurent**, **Ledoyen**, **Taillevent** et les tables de palaces comme le **Crillon**, le **Plaza Athénée**, et le **Royal Monceau** (p. 114).

Tour Eiffel, Invalides et musée d'Orsay

Jules Verne, 2e étage de la tour Eiffel, VIIe ; tél. : 01 45 55 61 44 *(métro : Bir-Hakeim)*. Le plus haut restaurant de Paris, apprécié des touristes et des Parisiens. À réserver longtemps d'avance. Le service est sans faute et la cuisine classique excellente. Cher.
Altitude 59, 1er étage de la tour, VIIe ; tél. : 01 45 55 20 04 *(métro : Bir-Hakeim)*. Petite sœur bien meilleure marché du Jules Verne, menu agréable, salon de thé.

Paris en un coup d'œil

La Ferme Saint-Simon, 6 rue Saint-Simon, VIIe ;
tél. : 01 45 48 35 74 *(métro : Rue du Bac).* Bourrée d'hommes d'affaires et de députés au déjeuner. Copieux, délicieux, atmosphère animée. Prix convenables.
Tan Dinh, 60 rue de Verneuil, VIIe ; tél. : 01 45 44 04 84 *(métro : Rue du Bac).*
Excellent restaurant vietnamien.
Très belle carte des vins. Prix raisonnables.

La rive gauche et Montparnasse
Toutes sortes d'établissements, du sublime au hamburger.
Restaurants très bon marché dans les rues piétonnes derrière **Saint-Julien-le-Pauvre** ou entre la place Saint-André-des-Arts et **Saint-Germain-des-Prés.**
Brasserie Lipp, 151 Bd Saint-Germain, VIe ;
tél. : 01 45 48 53 91 *(métro : Saint-Germain-des-Prés).*
Célèbre brasserie à la célèbre clientèle (de Mitterrand à Madonna). Décor classé monument historique. Prix raisonnables.
La Brochette, 25 rue Poliveau, V^e ;
tél. : 01 45 35 44 38 *(métro : Saint-Marcel).* Un bon petit restaurant de famille, servant le couscous traditionnel et bon marché.
La Coupole, 102 Bd Montparnasse, XIVe ;
tél. : 01 43 20 14 20 *(métro : Vavin).* Ancien repaire d'artistes dans les années 20 et 30. Toujours florissante. Beau décor.
La Cour aux Crêpes, 27 rue Galande, V^e ;
tél. : 01 43 25 45 00 *(métro : Maubert-Mutualité).* Une des bonnes crêperies du quartier.
Le Bistrot du Dôme, 1 rue Delambre, XIVe ;
tél. : 01 43 35 32 00 *(métro : Vavin).*
Excellent restaurant de poisson, plein de charme. Prix raisonnables.
Le Procope, 13 rue de l'Ancienne-Comédie, VIe ;
tél. : 01 40 46 79 00 *(métro : Odéon).* Fondé en 1686, l'un des plus anciens cafés de Paris, même si c'est aujourd'hui un restaurant. Sous la Révolution, il s'appelait Caffé Zoppi et était fréquenté par Marat. Voltaire, Balzac et Verlaine furent de ses habitués.
Portrait du Dr. Guillotin dans l'entrée.
Apprécié des touristes. Prix modérés.
La Tour d'Argent, 15-17 quai de la Tournelle, V^e ;
tél. : 01 43 54 23 31 *(métro : Maubert-Mutualité).* L'une des Mecques de la gastronomie française depuis 1582. Cuisine de haute tradition, en particulier le canard au sang, numéroté. Réserver très en avance. Très cher.
Perraudin, 157 rue Saint-Jacques, VIe ;
tél. : 01 46 33 15 75 *(RER : Luxembourg).* Bistrot très traditionnel servant soupe à l'oignon et bœuf bourguignon aux étudiants du quartier. Bon marché.

Distractions

Cabarets
Bal du Moulin-Rouge,
83 Bd de Clichy, XVIIIe ;
tél. : 01 46 06 00 19 *(métro : Blanche).*
Carroussel de Paris, 40 rue Fontaine, IXe ;
tél. : 01 42 82 09 16 *(métro: Blanche).*
Chez Michou, 80 rue des Martyrs, XVIIIe ;
tél. : 01 46 06 16 04 *(métro : Abbesses, Pigalle).*
Crazy Horse Saloon, 12 av. George V, VIIIe ;
tél. : 01 47 23 32 32 *(métro : George V).*
Folies Bergère, 32 rue Richer, IXe ; tél. : 01 44 79 98 98 *(métro : Cadet, Rue Montmartre)*... et de nombreux autres à Montmartre : revues traditionnelles avec danseuses en plumes, numéros de travestis, chansonniers. Les lieux les plus connus sont très chers.
Lido de Paris, 116 bis av. des Champs-Élysées, VIIIe ;

tél. : 01 40 76 56 10 *(métro : George V).*

Clubs de jazz

Le Petit Opportun, 15 rue des Lavandières-Ste-Opportune ; tél. : 01 42 36 01 36 *(métro : Châtelet).*

Le Bilboquet, 13 rue St-Benoît ; tél. : 01 45 48 81 84 *(métro : St-Germain-des-Prés).*

Petit journal Montparnasse, 13 rue du Commandant Mouchotte ; tél. : 01 43 21 56 70 *(métro : Montparnasse-Bienvenüe).*

Trois Mailletz, 56 rue Galande ; tél. : 01 43 25 96 56 *(métro : St-Michel).*

Cafés - théâtres

Blancs Manteaux, 15 rue de Blancs Mateaux ; tél. : 01 48 87 15 84 *(métro : Hôtel-de-Ville).*

Café de la Gare, 41, rue du Temple ; tél. : 01 42 78 52 51 *(métro : Rambuteau-Hôtel-de-ville).*

Le Canotier du Pied de la Butte, 62 bd Rochechouard ; tél. : 01 46 06 02 86 *(métro : Anvers).*

Point Virgule, 7 rue Ste-Croix de la Bretonnerie ; tél. : 01 42 78 67 03 *(métro : Hôtel-de-Ville).*

Théâtre et cinéma

Les théâtres sont nombreux, et les cinémas innombrables. Paris est la capitale du cinéma où l'on peut voir aussi bien les chefs-d'œuvre oubliés que les dernières superproductions d'Hollywood.

Comédie-Française, place de la Comédie-Française, Ier ; tél. : 01 40 15 00 15 *(métro : Palais-Royal).* Le temple du théâtre français.

Le Dome Imax, Colline de la Défense, 1, place du Dôme ; tél. : 01 46 92 45 45 ou 01 46 92 45 50. Écran géant hémisphérique, *(métro : la Grande Arche de la Défense).*

Cinéma des Cinéastes, 7 rue de Clichy ; tél. : 01 53 85 61 75 *(métro : place de Clichy).* Cinéma d'art et essai, créé par des metteurs en scène français.

Paristoric, 11 bis rue Scribe, IXe ; tél. : 01 42 66 62 06 *(métro : Opéra).* Spectacle audiovisuel sur écran géant.

Visites

Bus

France Tourisme/Paris Vision : 214 rue de Rivoli, Ier ; tél. : 01 42 60 30 01 *(métro : Opéra).*

Cityrama : 4 place des Pyramides, Ier ; tél. : 01 44 55 61 00 *(métro : Pyramides).*

Paris Bus/Les Cars rouges : circuits de 2 h 15, avec commentaire. Ces bus peuvent se prendre à 9 arrêts. Billet valable 2 jours. 3-5 rue Talma, XVIe ; tél. : 01 42 30 55 50 *(métro : La Muette).*

Bateaux

Bateaux-mouches : toutes les 1/2 h de 10 h à 23 h, départ au pont de l'Alma, rive droite *(métro : Alma-Marceau) ;* réservations : 01 42 25 96 10. Les plus grands et plus connus des bateaux touristiques. Commentaires. Déjeuner à bord (13 h) ou dîners-croisières (20 h 30).

Bateaux parisiens, toutes les 1/2 h ; de 10 h à 23 h en été, de 10 h à 18 h en hiver, départ du port de la Bourdonnais, pont d'léna, VIIIe *(métro : Bir-Hakeim)* et quai de Montebello, Ve *(métro : Maubert-Mutualité/Saint-Michel) ;* tél. : 01 44 11 33 34. Déjeuner (12 h 15) et dîners-croisières (20 h 30).

Vedettes de Paris
Toutes les 1/2 h, de 10 h à minuit, départ du square du Vert-Galant, île de la Cité *(métro : Cité)* et du port de Suffren, pont d'léna *(métro : Bir-Hakeim) ;* tél. : 01 47 05 71 29. Croisières nocturnes, 21 h -22 h 30. Réduction avec la carte Paris Visite.

Batobus (navette) de l'Hôtel de Ville à la tour Eiffel. 5 arrêts. D'avril à octobre, de 10 h à 19 h ; tél. 01 44 11 33 44.

Les canaux

Paris Canal : croisière de 3 h sur la Seine et le canal Saint-Martin, 1 par jour dans chaque

Paris en un coup d'œil

sens, 2 les week-ends et jours fériés. Départ quai Anatole-France, musée d'Orsay (*RER : Musée d'Orsay)* et parc de la Villette, 19-21 quai de la Loire, XIXe ;
tél. : 01 42 40 96 97 *(métro : Jaurès).*
Canauxrama : croisière de 3 h sur le canal Saint-Martin.
2 départs dans chaque sens chaque jour. Port de l'Arsenal, face au 50 Bd de la Bastille, XIIe *(métro : Quai de la Rapée),* Bassin de la Villette, 5 bis quai de la Loire, XIXe ;
tél. : 01 42 39 15 00 *(métro : Jaurès).*

Paris sur deux roues
Plusieurs sociétés proposent des locations de vélos et même des visites guidées.
Paris Bike : promenades de 2 ou 4 h de Paris, bois de Boulogne et Versailles.
Réserver 48 h à l'avance.
83 rue Daguerre, XIVe ;
tél. : 01 45 38 58 58 *(métro : Denfert-Rochereau).*
VTT, 1 place de Rungis, XIIIe ;
tél. : 01 45 65 49 89 *(métro : Place d'Italie).* VTT à louer.
Paris à vélo c'est sympa !
9 rue Jacques-Cœur, IVe ;
tél. : 01 48 87 60 01 *(métro : Bastille).* Locations et visites guidées d'une 1/2 journée.
Kilomètre 2, 11 av. Marc Sangnier, XIVe ;
tél. : 01 41 16 04 32 *(métro : Porte de Vanves).*
Location de motos avec chauffeur. Visite de Paris à moto, transferts aéroport…
Sejem, 150 rue de Lourmel, XVe ; tél. : 01 45 57 91 90 *(métro : Dupleix).* Scooters et motos.

Tourisme

Peu de visites sont gratuites, et les billets d'entrée peuvent être chers. La plupart des musées offrent une réduction aux étudiants, aux enfants et personnes de plus de 65 ans.
Le billet Paris Visite est très avantageux. La meilleure option est encore la **carte Inter-Musées,** de 1, 2 ou 3 jours qui donne accès à 65 monuments et musées, dont les plus grands.
Son coût s'amortit en 3 ou 4 visites et évite les longues queues. Elle se vend dans tous les musées et monuments participants, les bureaux de tourisme et les stations de métro.

Shopping

Haute Couture
Avenue Montaigne *(métro : Franklin D. Roosevelt ou Alma-Marceau) :*
2, **Emmanuel Ungaro ;** 17-19, **Hanaé Mori et Valentino ;** 26, **Christian Lacroix ;** 29, **Guy Laroche ;** 30, **Christian Dior ;** 39, **Nina Ricci ;** 40, **Per Spook ;** 42, **Chanel ;** 49, **Thierry Mugler ;** 51, **Jean-Louis Scherrer ;** 52, **Jil Sander ;** 57, **Escada**.
Avenue George V *(métro : Alma-Marceau)* : 8, **Boutique Givenchy ;** 10, **Balenciaga**.
Rue du Faubourg-Saint-Honoré, *(métro : Champs-Élysées-Clemenceau)* : 19, **Karl Lagerfeld ;** 25, **Balmain ;** 59, **Pierre Cardin ;** 62, **Versace ;** 88, **Louis Féraud**.
Rue François Ier *(métro : Franklin D. Roosevelt)* : 31, **Carven ;** 35, **Ted Lapidus ;** 44, **Pierre Balmain ;** 62, **Philippe Venet.**
Ailleurs :
Paco Rabanne, 23 rue du Cherche-Midi, VIe *(métro : Saint-Sulpice).*
Torrente, 1 Rond-Point des Champs-Élysées, VIIIe *(métro : Franklin D. Roosevelt).*
Yves Saint Laurent, 5 av. Marceau, XVIe *(métro : Alma-Marceau).*

Prêt-à-porter
Beaucoup de grandes maisons de couture ont maintenant des boutiques de prêt-à-porter sur la rive gauche.
Mais pour des prix encore plus intéressants, cherchez les dégriffés, vendus à prix très réduit pour surproduction ou légers défauts.
Les boutiques spécialisées se trouvent rue Saint-Placide, rue des Saint-Pères, Bd Saint-Michel éventuellement. La rue Bonaparte est la rue du shopping de mode sur la rive gauche, mais les tentations sont dangereuses pour votre carte de crédit…

Informations pratiques

Aéroports
Téléphones utiles
Orly
Informations (6 h/minuit) : 01 49 75 15 15
Objets trouvés
Orly Sud : 01 49 75 34 10
Orly Ouest : 01 49 75 42 34

Roissy-Charles-de-Gaulle
Informations : 01 48 62 22 80

Desserte des aéroports :
Roissy : taxis, RER ligne B (une navette gratuite vous emmène du terminal à la gare RER) ; Roissybus RATP, toutes les 12 mn, arrêts Opéra Garnier, gare de l'Est, gare Montparnasse et Nation ; tél. : 08 36 68 77 14 (2,23 F/mn) (durée 1 h environ); bus Air France, toutes les 12 mn, arrêts place Charles-de-Gaulle/Étoile et Porte Maillot ; tél. : 01 43 23 97 10.

Orly : taxis, RER ligne C (une navette gratuite vous emmène du terminal à la gare RER) ; Orlyval (métro automatique rapide qui vous conduit à la station RER d'Antony) ; Orlybus RATP, terminus à Denfert-Rochereau, bus Air France, toutes les 13 mn, arrêts Invalides et gare Montparnasse.

Services aéroport :
Orly et Roissy
Consigne
Distributeur de billets
Douches
Librairie, journaux, tabacs
Location de voitures
Nurseries pour bébé
Pharmacie
Photocopies
Poste
Pressing
Service médical d'urgence et vaccinations
Air France / Air Inter
tél. : 08 02 802 802 (0,99 F/mn).

SNCF
Paris dispose de six grandes gares de voyageurs, toutes desservies par le métro ou le RER.
Pour informations et réservations, appelez le 08 36 35 35 35 (2,23 F/mn).Pour les informations sur les horaires seulement, appelez le 08 36 67 68 69 (1,49 F/mn).
Pour les renseignements sur le réseau Île-de-France, appelez le 01 53 90 20 20.
Adresse des gares :
Paris-Nord, *15 rue de Dunkerque, X*^e^ ; dessert la blanlieur-nord, le Nord de la France ainsi que l'Allemagne et la Belgique (Thalys), Londres (Eurostar) et les Pays-Bas.
Paris-Saint-Lazare, *rue Saint-Lazare, IX*^e^ ; trains pour la banlieue nord-ouest et grandes lignes à destination du Nord-Ouest de la France (Normandie).
Paris-Est, *10 place du 11-novembre 1918, X*^e^ ; trains pour la banlieue est et lignes pour l'Est de la France et le Sud de l'Allemagne (trains Corail/TGV).
Paris-Montparnasse, *17 bd de Vaugirard, VI*^e^ ; trains pour la banlieue sud-ouest et le quartier Vaugirard. Grandes lignes (TGV/Corail) pour le Sud-Ouest (Bordeaux, Hendaye), l'Ouest (Nantes, La Rochelle, Poitiers) et la Bretagne.
Paris-Austerlitz, *53 quai d'Austerlitz, V*^e^ ; dessert la banlieue sud-ouest, ainsi que le Sud-Ouest de la France

(Toulouse, Limoges, Brive(s)-la-Gaillarde).
Paris-Gare de Lyon, *place Louis-Armand, XIIe :* trains pour la banlieue sud-est, Meulun, Chelles-Gourny et Marne-la-Vallée. Grandes lignes pour la Bourgogne, Franche-Comté, Rhône-Alpes et la Côte d'Azur.

Commissariats
Place du Marché St-Honoré :
tél. : 01 47 03 60 00.
5, place des Petits Pères :
tél. : 01 42 60 96 57.
5, rue Perrée :
tél. : 01 42 78 40 00.
2, place Baudoyer :
tél. : 01 44 78 61 00.
4, rue de la Montagne Ste-Geneviève :
tél. : 01 44 41 51 00.
78, rue Bonaparte :
tél. : 01 43 29 76 10.
9, rue Fabert :
tél. 01 44 18 69 07.
1, av. du Général Eisenhower :
tél. : 01 53 76 60 00.
14 bis, rue Chauchat :
tél. : 01 44 83 80 80.
26, rue Louis-Blanc :
tél. : 01 53 71 60 00.
Place Léon Blum :
tél. : 01 43 79 39 51.
80 av. Daumesnil :
tél. : 01 44 87 50 12.
144, bd de l'Hôpital :
tél. : 01 40 79 05 05.
112-114-116 av. du Maine :
tél. : 01 53 74 14 06.
250, rue de Vaugirard :
tél. : 01 53 68 81 81.
58, av. Mozart :
tél. : 01 45 27 03 78.
19-21, rue Truffaut :
tél. : 01 44 90 37 17.
79, rue de Clignancourt :
tél. : 01 53 73 63 00.
2, rue André Dubois :
tél. : 01 48 03 82 00.
48, avenue Gambetta :
tél. : 01 40 33 34 00.

Postes
La Poste centrale, 52 rue du Louvre, Ier (métro Louvre/Rivoli) est ouverte 24 h/24.
Les bureaux de poste ouvrent lun.-ven. de 8 h à 19 h et le sam. de 8 h à 12 h.
Paris-Bourse, 8 place de la Bourse, IIe ;
Paris-Archives, 67 rue Archives, IIIe ;
Paris-Bastille, 1 rue Castex, IVe ;
Paris V-Mouffetard, 10 rue Épée de Bois, V^e ;
Paris VI, 111 rue de Sèvres, VIe ;
Paris VII-École Militaire, 56 rue Cler, VIIe ;
Paris VIII, 49 rue de la Boëtie, VIIIe.

Téléphone
Les cabines à pièces de monnaie se font rares. Munissez-vous de préférence d'une carte de téléphone, vendue par France Télécom, dans les bureaux de tabac et certains kiosques à journaux. Certaines cabines acceptent la Carte Visa.

Téléphones utiles
Police : 17
Pompiers : 18
Centre anti-poisons :
01 42 05 63 29
SAMU : 01 45 67 50 50
Perte ou vol de cartes de crédit ou de chéquiers.
Carte Bleue Visa :
01 42 77 11 90
Eurocard/Mastercard :
01 45 67 53 53
Carte Diner's Club :
01 49 06 17 50
American Express :
01 47 77 72 00
Chéquiers :
01 43 45 24 24
08 36 68 32 08
Objets trouvés :
01 55 76 20 00
Météo : 08 36 68 00 00
Horloge parlante : 36 99

Parcmètres
Omniprésents, ils se règlent à l'aide de pièces, mais surtout d'une carte Paris Parking, disponible dans les bureaux de tabac.

Parkings
Paris possède de nombreux parkings souterrains, assez chers, mais beaucoup moins qu'une contravention ou un enlèvement à la fourrière (très pratiqué).
Les parkings publics sont ouverts 24 h/24, mais attention : les privés ferment parfois à minuit.

Stations-service
Elf, av. de la Porte de Saint-Cloud, XVIe
Esso, 338 rue Saint-Honoré, Ier ; 168 rue du Faubourg-Saint-Martin, X^e
Shell, 6 bd Raspail, VIIe ; 1 bd de la Chapelle, X^e ; 26 rue de la Légion-Étrangère, XIVe ;
5, rue Linois, XVe ;
quai d'Issy, XVe
Total, parking Georges V, VIIIe

Info Route
Tél. : 01 48 99 33 33.

Autoroutes informations
tél. : 01 47 05 90 01.

Santé
SAMU : 01 45 67 50 50
SOS Médecins :
01 47 07 77 77
SOS Dentistes : 01 43 37 51 00
Pharmacie européenne de la Place de Clichy, 6 place de Clichy, IXe,
tél. : 01 48 74 65 18. Ouverte jour et nuit.
Pharmacie Dhéry, galerie des Champs-Élysées, 84 avenue des Champs-Élysées, VIIIe ;
tél. : 01 45 62 02 41. Ouverte jour et nuit.
Pharmacie Saint-Germain, 149 bd Saint-Germain, VIe,
tél. : 01 42 22 80 00.
Jusqu'à 1 h du matin.
Pharmacie des Arts, 106 bd du Montparnasse, XIVe,
tél. : 01 43 35 44 88.
Jusqu'à minuit.

Hôpitaux
Hôtel-Dieu, 7 parvis de Notre-Dame, IVe,
tél. : 01 42 34 82 34 ;
Val-de-Grâce, 74 bd Port-Royal, Ve,
tél. : 01 40 51 40 00 ;
Pitié Salpêtrière, 47 bd de l'Hôpital, XIIIe,
tél. : 01 42 17 63 83 ;
Hôpital d'enfants Armand Trousseau, 26 avenue du Docteur Arnold Nettere, XIIe,
tél. : 01 44 73 74 75 ;
Hôpital Cochin, 27 rue du Faubourg-Saint-Jacques, XIVe,
tél. : 01 42 34 12 12

Rendez-vous sportifs
Internationaux de tennis de France, fin mai-début juin, stade Roland-Garros
Tournoi des Cinq Nations, match de rugby, 18 février, Parc des Princes
Marathon de Paris, 2 avril, Champs-Élysées
Prix de l'Arc de Triomphe, course de chevaux, octobre, hippodrome de Longchamp
Allô sports : 01 42 76 54 54.

Piscines
Aquaboulevard, 4-6 rue Louis Armand, tél. : 01 40 60 15 15 *(métro : Porte de Versailles, Balard).*
Piscine de la Butte-aux-Cailles, 5 place Paul Verlaine, 13e,
tél. : 01 45 89 60 05 *(métro : Place d'Italie).* Piscine découverte de style des années 1920.
Piscine des Halles (Centre sportif Suzanne Berlioux), 10, place de la Rotonde ;
tél. : 01 42 36 98 44 *(métro : Châtelet, Les Halles).*
Piscine Georges Vallerey, 148 av. Gambetta ;
tél. : 01 40 31 15 20.
Construite pour les jeux de 1924.
Piscine du marché Saint-Germain, 7 rue Clément ;
tél. : 01 43 29 08 15 *(métro : Mabillon).*

Hammam et sauna
Les Bains du Marais, 31-33 rue des Blancs Manteaux ;
tél. : 01 44 61 02 02 *(métro : Hôtel de Ville).*
L'Orient, 43-45 rue Petit ;
tél. : 01 42 01 32 90 *(métro : Ourcq).*
Hammam Bain Turcs, 50 rue du Faubourg St-Martin :
tél. : 01 42 06 43 95 *(métro : gare de l'Est-Louis Blanc).*
Sauna de Paris, 15 rue du Faubourg-du-Temple ;
tél. : 01 42 02 05 05 *(métro : République).*

Fêtes
Fête de la Musique, 21 juin, rues de Paris
Fête du Cinéma, 3 juin, projections à prix réduits
Foire du Trône, fête foraine, fin mars à début juin, Bois de Vincennes
Journées du Patrimoine, visites gratuite des monuments, 2 journées en septembre, s'adresser à l'office de tourisme pour plus d'informations.

Journaux de programmes :
L'Officiel des spectacles et Le Pariscope, *hebdomadaires.*
Billets à moitié prix : kiosque au RER **Châtelet-Les-Halles**,

PARIS EN QUELQUES CHIFFRES

21 millions de visiteurs (1994)
1 500 monuments historiques
110 musées
85 salles de concert
27 music-halls
35 ponts (le plus récent : pont Charles-de-Gaulle 1996)
200 km de rails de métro
11 000 m² de catacombes
1 600 km d'égouts
486 000 arbres
1 160 congrès (dont 355 internationaux)
4 500 séminaires
130 000 m² de graffitis nettoyés (1996)
555 000 feuilles d'or nécessaires pour redorer le dôme des Invalides

Bibliographie

Littérature

Roland Dorgeles, *Bouquet de Bohème*, Albin Michel, Paris, 1989
Julian Green, *Paris*, Le Seuil, 1989
Victor Hugo, *Notre-Dame-de-Paris*, Folio, Gallimard, Paris, 1984
Gaston Leroux, *Le Fantôme de l'Opéra*, Laffont, 1984
Patrick Sûskind, Le Parfum, Fayard, Paris, 1983
Émile Zola, *Le Ventre de Paris*, Folio, Gallimard, Paris, 1979

Histoire

Malvina Blanchecotte, *Tablettes d'une femme pendant la Commune*, Aigre, Ed. du Lérot, 1996
Hillairet, *Connaissance du Vieux-Paris*, Rivages, Paris, 1994
Levisse-Touzé, *Paris libéré, Paris retrouvé*, Gallimard, 1994

Divers

Claude Beausoleil, *Librement dit*, Hexagone, Montréal, 1997
Théophile Gauthier, *Paris et les Parisiens*, Boîte à documents, 1996
Philippe Meyer, *Paris-la-Grande*, Flammarion, Paris, 1997
Paul Morand, *Paris*, Bibliothèque des Arts, Lausanne, 1997.

Ier, et au 15 place de la Madeleine *(métro : Madeleine)*. Fermé lundi et dim. matin.
Pas de cartes de crédit.
Virgin Megastore, 60 av. des Champs-Élysées, VIIIe ; tél. : 01 49 53 50 00 *(métro : Franklin D. Roosevelt)*.
Agence de location pour tous spectacles, y compris les manifestations sportives. Également réservations par Minitel, avec carte de crédit.

Musique
Chaque soir, vous n'avez que l'embarras du choix entre plusieurs concerts.
Concerts classiques gratuits dans plusieurs églises, dont **Notre-Dame, Saint-Merri, Saint-Sulpice** et **Saint-Eustache**, et dans des musées comme celui **d'Art moderne** ou **musée de l'Homme**, et dans les parcs. Nombreux concerts à la **Cité de la musique,** 221 av. Jean Jaurès, XIXe ; tél. : 01 44 84 44 84 *(métro : Porte de Pantin)*. **Le Centre d'information du jazz,** 21 bis rue de Paradis, X^e^ ; tél. : 01 44 83 10 30 *(métro : Château d'Eau)* : centre d'information sur tout ce qui touche au jazz dans la capitale.
Salles de concerts
Bataclan, 56 bd Voltaire, XIe ; tél. : 01 47 00 39 12.
Olympia, 28 bd des Capucines, IXe ; tél. : 01 47 42 25 49.
Palais Omnisports de Bercy, 8 boulevard de Bercy, XIIe, tél. : 01 40 02 60 60
Radio-France, 116 avenue du Président-Kennedy, XVIe, tél. : 01 42 30 15 16
Salle Gaveau, 45 rue de La Boëtie, VIIIe, tél. : 01 49 53 05 07
Salle Pleyel, 252 rue du Faubourg-Saint-Honoré, VIIIe, tél. : 01 45 61 53 00
Théâtre des Champs-Élysées, 15 avenue Montaigne, VIIIe, tél. : 01 49 52 50 50
Théâtre du Châtelet, 1 place du Châtelet, Ier, tél. : 01 40 28 28 28
Le Zenith, 211 av. Jean-Jaurès, XIXe ; tél. : 01 42 08 60 00.

Opéra et ballet
Opéra Bastille, place de la Bastille, XIe ; tél. : 01 40 01 17 89 *(métro : Bastille)*
Opéra Garnier, place de l'Opéra, IIe ; tél. 01 40 01 17 89 *(métro : Opéra)*. Billets à prix réduits le jour du spectacle.

Salons
Fédération des Foires et Salons de France, 31, rue de Billancourt, 92100 Boulogne ; tél. : 01 48 25 66 55.
Fédération Française des Salons Spécialisés, 4, place de Valois, Ier ; tél. : 01 42 86 82 99.
Paris Expo, place de la porte de Versailles ; tél. : 01 43 95 37 00, fax : 01 43 95 30 31 *(métro : porte de Versailles)*.
Parc international des

expositions de Paris Nord Villepinte, Paris Nord II ; tél. : 01 48 69 30 30, fax : 01 48 63 33 70, *(RER B : parc des expositions).*
Parc des expositions du Bourget, aéroport du Bourget ; tél. : 01 41 69 20 20, fax : 01 41 69 20 19 *(RER B : Le Bourget).*
Palais des congrés de Paris porte Maillot, 2 place de la Porte Maillot ; tél. : 01 40 68 22 22, fax : 01 40 68 27 40 *(RER C: Porte Maillot).*
Bercy expo, 40 av. des Terroirs de France ; tél. : 01 44 74 50 00, fax 01 44 74 50 01 *(métro : Bercy).*
Espace Eiffel Branly, 29/55 quai Branly ; tél. : 01 44 49 98 98, fax : 01 44 18 06 81.
Grande halle de la Villette, 211 av. Jean-Jaurès ; tél. : 01 40 03 75 29, fax : 01 40 03 75 22 *(métro : Porte de Pantin).*
Cité des sciences et de l'industrie centre des congrés de la Villette, espace Condorcet, 30 av. Corentin Cariou ; tél. : 01 40 05 81 47, fax : 01 40 05 82 35 *(métro : Porte de la Villette).*
CNIT Paris la Défense, 2-4, place de la Défence ; tél. : 01 46 92 46 92, fax : 01 46 92 28 18 *(métro : Grande Arche de la Défense).*
Le Carroussel du Louvre, 99, rue de Rivoli ; tél. : 01 43 16 47 47, fax : 01 43 16 47 40 *(métro : Palais Royal, musée du Louvre).*

Marchés aux puces, et aux timbres

En dehors de ses nombreux marchés (p. 80), Paris possède aussi de nombreux marchés spécialisés. Les philatélistes ne doivent pas manquer le marché aux timbres, cour Marigny, VIIIe (métro : Champs-Élysées-Clemenceau), ouvert jeudi, samedi et dimanche. Les estampes et livres d'occasion se trouvent encore chez les bouquinistes des quais, autour de l'île de la Cité (métro : Châtelet-Saint-Michel), tous les jours. Le merveilleux marché aux puces, brocante, antiquités et vêtements, se trouve porte de Clignancourt (métro : Porte de Clignancourt), ouvert le samedi, dimanche, lundi. Vous ferez de meilleures affaires sur des marchés moins importants comme celui de la porte de Vanves, av. Georges Lafenestre et av. Marc Sangnier (métro : Porte de Vanves) (samedi et dimanche) ou celui de la porte de Montreuil, à Montreuil (métro : Porte de Montreuil), ouvert du samedi au lundi.

Le pique-nique parfait

Poilâne, 8 rue du Cherche-Midi, VIe est supposé être la meilleure boulangerie de Paris. Son pain est si apprécié qu'on l'appelle tout simplement le Poilâne. Chez Beatrix, 42 rue Dauphine, VIe, spécialité de baguettes cuites au feu de bois. Pour la charcuterie, essayez le Cochon d'Auvergne, 48 rue Monge, Ve, et dans le VIe, Charles, 10 rue Dauphine ainsi que Coesnon, 30 rue Dauphine. Pour le fromage, Barthélemy, 51 rue de Grenelle, VIIe est une gloire locale. Pour tout - si vous en avez les moyens - courez chez Fauchon, 26 place de la Madeleine, VIIIe.

Organismes internationaux

Commission des Communautés Européennes, 288 boulevard Saint-Germain, VIIe, tél. : 01 40 63 38 00
UNICEF, 17 rue Remusat, XVIe, tél. : 01 45 20 35 60
UNESCO, 7 rue Eugène Delacroix, XVIe

Ambassades

Suisse, 142 rue Grenelle, 75007 Paris. Tél. : 01 49 55 67 00.
Canada, 35 av.Montaigne, 75008 Paris. Tél. : 01 44 43 29 00.
Belgique, 9 rue de Tilsitt, 75017 Paris. Tél. : 01 44 09 39 39.
Maroc, 5 rue Le Tasse, 75116 Paris. Tél. : 01 45 20 69 35.
Algérie, 50 rue de Lisbonne, 75008 Paris. Tél. : 01 42 25 70 70.
Tunisie, 25 rue Barbet-de-Jouy, 75007 Paris. Tél. : 01 45 55 95 98.
Viêtnam, 62, rue Boiliau, 75006 Paris. Tél. : 01 44 14 64 00.
Liban, 3 villa Copernic, 75116 Paris. Tél. : 01 40 67 75 75.
Cameroun, 73, rue d'Auteuil, 75016 Paris. Tél. : 01 47 43 98 33.
Côte d'Ivoire, 102 av. Raymond Poincaré, 75016 Paris. Tél. : 01 44 14 93 93.
Sénégal, 14 av. Robert Schumann, 75007 Paris. Tél. : 01 47 05 39 45.

INDEX

Les numéros de page en italique renvoient aux légendes des illustrations